D1126905

LES MÉDECINS MAUDITS

DU MEME AUTEUR
AUX EDITIONS FRANCE-EMPIRE

— *L'Exécution de Budapest,* mai 1966.
— *Les Médecins de l'Impossible.* Prix Littré. Octobre 1968.
— *Les Sorciers du Ciel,* octobre 1969.
— *Le Train de la Mort.* Prix Malherbe. Novembre 1970.
— *Les Mannequins Nus,* I. Octobre 1971.
— *Le Camp des Femmes, Mannequins Nus,* II. Septembre 1972.
— *Kommandos de Femmes, Mannequins Nus,* III. Septembre 1973.
— *Les 186 Marches, Mauthausen* I. Octobre 1974.
— *Le Neuvième Cercle, Mauthausen* II.
— *Des jours sans fin.*

HORS COLLECTION

— *Le Passe-Montagne* (1975).
— *Dagore, les carnets secrets de la Cagoule.*

CHRISTIAN BERNADAC

LES MÉDECINS MAUDITS

L'épisode le plus noir du plus grand holocauste de l'histoire.

LES EDITIONS QUEBECOR
225 est, rue Roy
Montréal, Qué. H2W 2N6
Tél.: (514) 282-9600

Distributeur exclusif:
AGENCE DE DISTRIBUTION POPULAIRE INC.
955, rue Amherst
Montréal, Qué. H2L 3K4
Tél.: (514) 523-1182

Dépôts légaux, troisième trimestre 1979:
Bibliothèque nationale du Québec et
Bibliothèque nationale du Canada.
ISBN 2-89089-022-8

CE LIVRE EST DÉDIÉ
A MON PÈRE, ROBERT BERNADAC

Il a connu l'enfer de la déportation
et ne m'a jamais appris la haine.

PRÉFACE

POURQUOI?

Les coquelicots ont refleuri dans les champs retrouvés de Dachau, de Buchenwald ou d'Auschwitz.

Pour des millions de jeunes hommes d'aujourd'hui, nés après 1935, la longue aventure criminelle du national-socialisme est oubliée. Mieux, elle ne les concerne pas. Les souvenirs poussiéreux de la génération des parents sont versés depuis longtemps dans le dossier des « histoires de régiment ».

Le temps efface le passé avec une telle rigueur que beaucoup se demandent même si ces crimes horribles, minutieusement décrits depuis plus de vingt ans, on été réellement commis...

L'Histoire, souvent, dépasse le roman en « imaginations ».

L'aventure des « Médecins Maudits » reste le chapitre le moins connu de cette histoire criminelle du Reich nazi : un voile pudique a bien souvent masqué les comptes rendus des procès et les écrivains, qui ont étudié les expériences médicales humaines dans les camps de concentration, étaient tous des médecins et s'adressaient, avant tout, à des médecins.

Au début de l'année 1967, j'ai rencontré plus de cinquante étudiants de la Faculté de Médecine de Paris et j'ai été surpris de constater qu'ils ne connaissaient pas les expériences des camps et que près de la moitié d'entre eux admettaient « dans certaines conditions » les expérimentations humaines. D'autres considéraient même « l'expérience obligatoire » lorsqu'elle pouvait apporter la guérison de milliers de personnes. Cette thèse-argument était, après la guerre, la seule grande défense des « Médecins Maudits ». Elle revient à la mode dans certains milieux médicaux. L'exemple le plus frappant nous est fourni par la lecture d'un journal suisse : « Médecine et Hygiène » qui, dans son numéro 639 [1], affirme :

— L'animal expérimental idéal est l'homme. Chaque fois qu'il est possible, il faut prendre l'homme comme animal d'expérience. Le chercheur clinique doit avoir à l'esprit que, pour connaître les maladies humaines, il faut étudier l'homme. Il n'est de recherches plus satisfaisantes, plus intéressantes et plus lucratives que celles effectuées sur l'homme. Il nous faut donc aller plus loin dans la recherche sur le plus développé des animaux : l'homme.

Sans commentaires.

---

1. Avril 1964.

L'année 1952, où l'on vit juger les médecins criminels de Struthof, a été riche en discussions et controverses. Les limites « floues » de l' « essai sur le vivant » ont été fixées. Le Pape, par contre, a condamné sans appel les expériences et les volontaires-cobayes :

— Dans tous les cas un homme sain n'a pas le droit d'être volontaire pour une opération qui, certainement, aura pour conséquence une mutilation du corps humain ou une détérioration grave et durable de la santé. Le patient ne peut abandonner au médecin tous les droits sur son corps, sur lequel il n'a lui-même qu'un droit d'usage.

L'Académie de Médecine qui a toujours considéré comme criminels les actes d'expérimentation commis dans certains camps, a publié les règles de ces expérimentations. Elle établit la différence entre les essais de méthodes nouvelles pratiquées sur un malade et l'expérimentation sur des hommes sains. Si dans le premier cas l'expérimentation est nécessaire et même obligatoire, puisqu'elle peut sauver le malade, dans le second cas :

— Cette expérimentation ne pourrait être appliquée que sur des volontaires informés et entièrement libres de l'accepter ou de la refuser, et ne saurait être conduite que par une personnalité hautement qualifiée, capable de réduire au minimum les risques encourus.

C'est un peu le résumé des dix règles de Nuremberg publiées à la fin du procès des « grands patrons » de la médecine allemande.

Les conclusions de l'Académie de Médecine et les règles de Nuremberg ne satisfont pas l'ensemble du corps médical. En effet, comment imaginer qu'un volontaire puisse être totalement volontaire [1]?

— On sait que le consentement libre est assez rare, on peut facilement créer une atmosphère de suggestion, de persuasion, arrivant à influencer la personnalité : bien entendu, des moyens de pression plus graves peuvent atteindre des sujets lorsqu'ils sont prisonniers.

Quant au sacrifice volontaire consenti à la communauté [1] :

— Une telle mentalité nous paraît relever d'une régression et d'un retour à la mentalité des sacrifices humains de l'ancien paganisme, de ces sacrifices humains faits pour une nouvelle idole qui, dans cette optique, deviendrait la Médecine.

Malheureusement chaque société a besoin de martyrs !

Cette même année 1952, les médecins juifs se réunissaient à Jérusalem et concluaient :

— Aucun être humain n'a le droit de sacrifier son semblable pour des buts d'utilité scientifique.

L'expérimentation humaine ne sera, sans doute, jamais totalement codifiée. Le cas de conscience reste posé pour chaque praticien. Tout au long des dis-

1. La Psychopathologie expérimentale, par le professeur Henri Baruk. P.U.F.

cussions sur ce problème délicat avec des médecins, j'ai lancé la même question :

— Si pour sauver cent personnes il vous fallait tuer un seul cobaye humain?

La plupart des médecins ont répondu :

— Je pense que ma conscience me forcerait d'accepter ce chantage ignoble.

Le professeur Baruk lui aussi avait sans doute posé cette question, puisqu'il écrit :

« On s'étonne que des professeurs de Faculté et des savants nazis aient commis des crimes effroyables. Mais à partir du moment où on pense que le but unique est d'augmenter la science sans tenir compte des êtres humains et sans être soumis à un facteur ethique supérieur, et sans écouter les sentiments humains et en faisant taire son cœur, dans une telle optique, toutes les voies sont ouvertes pour toutes les déformations, les régressions, les perversions et les dégradations de la déshumanisation. »

Si, de plus, les médecins sont sûrs de l'impunité... Ce climat favorable à tous les excès, Hitler et Himmler l'avaient imposé : ce livre présente les expériences médicales qu'ils avaient réclamées ou tolérées. Je ne suis pas médecin. J'ai travaillé en journaliste. J'ai recherché et retrouvé d'anciens déportés sur qui les médecins allemands avaient expérimenté; des médecins détenus qui, sous peine de mort, devaient servir d'assistants ou de « spécialistes » aux « chercheurs » nazis. J'ai compulsé des milliers de témoignages, les notes sténographiques des principaux procès. Pour les déclarations à la barre de Nuremberg j'ai utilisé la traduction de François Bayle, médecin général français, expert près du tribunal, qui a pu rencontrer avant leur procès les « savants criminels ». François Bayle a publié sur ce sujet un ouvrage essentiel « Croix gammée contre caducée » qui malheureusement est épuisé et que l'on trouve difficilement dans les bibliothèques.

La conclusion de cet ouvrage n'est guère optimiste :

— Qu'il se trouve, de par le monde, un tyran comparable, petit ou grand, et qu'il réussisse à fanatiser la jeunesse par une idéologie aussi « idéaliste », fausse et inhumaine, que cette idéologie extirpe de la pensée de ses tenants toute notion religieuse (et morale), alors le pire renaîtra. Des médecins violeront encore la conscience humaine sous des prétextes scientifiques et utilitaires. De monstrueuses recherches s'édifieront, qui n'ont pu aboutir en Allemagne, mais qui seront tentées ailleurs; l'Etat tout puissant prendra sur lui la responsabilité, et tout recommencera.

J'ai traité volontairement de « la morale expérimentale » dans cette préface pour conserver dans l'ouvrage les seuls faits bruts, sans « amélioration dite littéraire », sans « exclamations indignées ». L'horreur ne se souligne pas.

C. B.

ON N'A JAMAIS LE DROIT DE TUER UN HOMME PARCE QU'ON NE SAIT PAS LES IMAGES QUI SONT AU FOND DE SES YEUX

SAINT-EXUPÉRY.

CETTE HONTE, PERSONNE NE NOUS EN ABSOUDRA.

Professeur THÉODORE HEUSS,
Ancien Président de la
République Fédérale Allemande

I

UNE GRANDE PREMIÈRE

Ce spectacle-là, il le savait, lui donnerait des cauchemars. Ce soir, chaque soir, soir après soir. Une bien étrange manière de fêter son trente-troisième anniversaire! Il sourit.

— Eh bien oui, Walter Neff, tu viens d'avoir trente-trois ans. Peut-être... sans doute, la dernière année de ta vie. En effet, comment toi, le prisonnier privilégié, l'infirmier indispensable du bloc des tuberculeux de Dachau, pourrais-tu te tirer de cette nouvelle aventure?

Sigmund Rascher inscrivit sur son carnet, à couverture noire, « 22 février 1942 ». Une rafale de vent s'engouffra dans l'étroit couloir de terre battue qui séparait les deux baraquements et se brisa sur la cabine métallique. Rascher leva les yeux de son calepin.

— Vous fermerez l'allée avec des planches. Il est impossible de travailler dans ces courants d'air.

Neff, pieds et mains gelés, sentit une goutte de sueur perler entre ses deux yeux. Il pensa :

— Comme ça, nous serons encore plus isolés. Après ils me tueront. Ils ne vont pas supporter que l'on ait vu « ça ». On pourrait raconter...

Rascher hurla :

— Ça y est 47 200 pieds! Faites-lui enlever le masque.

Ce 22 février 1942, par la volonté d'un petit médecin grassouillet SS, capitaine de réserve de l'Armée de l'Air, commençait, dans le camp de déportation de Dachau la première grande série d'expériences humaines de l'histoire du IIIe Reich. Rascher avait gagné : il serait bientôt professeur d'université. Les balles de la guerre siffleraient leur bonsoir bien loin de ses oreilles. D'ailleurs il faudrait qu'il en parle à son « ami » Himmler : en aucun cas les savants ne devraient risquer leur vie sur les fronts... Le docteur Romberg interrompit sa rêverie.

— Voilà! il ôte son masque.

La chambre à basse pression avait été prêtée à Rascher par le docteur Siegfried Ruff, le jeune directeur du Centre Expérimental Aéronautique. Il s'agissait d'un grand caisson vertical, habillé de tuyauteries, de leviers de commande, de hublots. A deux mètres du sol, une « barre fixe » supportait un harnais de parachutiste, une cloche à vaches et une ardoise d'écolier. Des manettes et volants extérieurs permettaient à l'expérimentateur de régler la pression atmosphérique du caisson. A la limite, les docteurs Rascher et Romberg pourraient simuler des vols à 22 000 mètres. Aujourd'hui les cadrans indiquaient 15 000 mètres (42 700 pieds).

Le pantin à pyjama rayé, noué dans ses sangles, hésitait. Sa main accrochée au masque à oxygène se crispa. Neff songeait.

— S'il ne l'arrache pas, Rascher va lui faire passer un sacré quart d'heure.

Enfin le cobaye se décida. Le groin de cuir glissa et se balança lentement au bout du tuyau d'arrivée. Les yeux du déporté se révulsèrent. Comme dans un jeu de massacre la tête, bouche béante, narines dilatées, se rejeta. Rascher notait :

— Symptômes graves du mal des aviateurs, convulsions spasmodiques.

Neff aurait marqué :

— Une véritable marionnette dont on tire toutes les ficelles à la fois.

Millimètre par millimètre Rascher tournait le volant de commande générale. L'aiguille du chronomètre indiquait trente secondes, l'altimètre : quatorze kilomètres et demi. Violemment, le corps du faux parachutiste s'arc-bouta, jambes et bras unis. Un croissant posé verticalement. Le carnet noir s'enrichit d'un bref griffonnage :

— Opisthotonos [1].

Romberg soudain découvrit l'inutilité de l'expérience. Jamais non jamais, un aviateur quittant un appareil touché à de telles altitudes n'ouvrirait tout de suite son parachute; il commencerait sa descente en chute libre. On ne saute pas en « automatique » de 15 000 mètres, mais en « commandé ». Au même instant Romberg découvrit une autre inutilité : celle de ses appréhensions. Le SS Rascher, protégé d'Himmler, pouvait tout se permettre. Lui, Romberg, détaché par l'Institut Officiel d'Expérimentations Aériennes n'était là que pour cautionner les recherches de Rascher alors que l'Institut croyait que Romberg dirigeait... Il s'approcha du hublot. Rascher inscrivait :

— 14,3 kilomètres. Bras tendus raides en avant; cherche à s'asseoir comme un chien, les jambes écartées maintenues raides.

Les extrémités s'agitaient, le visage tour à tour blême et rougeaud n'était plus qu'une bouche haletante, avide d'oxygène. L'irrégularité, l'accélération et l'amplitude des mouvements respiratoires, l'incoordination de tous les gestes, leur brusquerie, les convulsions d'agonie, les yeux surtout, des yeux vides, morts, éteints, faisaient songer à un poisson que le pêcheur dépose dans l'herbe et qui désespérément se tortille, se tire-bouchonne, branchies folles, queue frétillante.

1. Forme de tétanos dans laquelle la contraction prédomine sur les muscles extenseurs et sur les muscles de la face postérieure du corps.

Arrivé à six kilomètres, l'homme grogne en bavant; ses muscles se détendent quelques secondes avant de se contracter à nouveau. Relâchement, contraction, relâchement... les grognements rauques s'aiguisent, s'effilochent, ronronnent, basculent dans un ronflement régulier pour se transformer enfin en cris désespérés, apeurés. La tête tombe en avant. Le supplice se prolonge depuis déjà vingt minutes. Le parachutiste va atteindre le sol. Rascher note :

— Crie spasmodiquement, grimace, se mord la langue.

Rascher interroge :

— Tu m'entends?

— Ça va?

— Réponds?

Cinq minutes après avoir atteint le niveau du sol première réaction :

— Ça va?

Il remue la tête, cligne des yeux.

— Redresse-toi.

L'homme essaye en répétant plusieurs fois :

— Non, s'il vous plaît.

Neuf minutes : il se lève et quelque soit la question posée répond :

— Seulement une minute.

— Dis-nous ta date de naissance?

— Seulement une minute.

Il renifle, gonfle ses joues, égrène des chiffres, la tête tournée convulsivement vers la gauche. Il tente sans arrêt de répondre à la première question concernant sa date de naissance, puis à son tour pose des questions.

— Puis-je couper une tranche?

— Je peux respirer? Est-ce que cela sera bien si je respire profondément?

Rascher ne répond pas. Le déporté bombe le torse.

— Très bien. Merci beaucoup. Puis-je couper une tranche?

Quinze minutes :

— Allons maintenant tu vas marcher.

— Très bien. Merci beaucoup.

Et il avance.

— Ta date de naissance?

— 1928 [1].

— Dans quelle ville?

— Quelque chose en 1928.

— Ta profession?

— 28. 1928. Puis-je respirer profondément?

Rascher répond affirmativement.

— J'en suis très content.

Il court au hublot ouvert dans la cabine.

— Excusez-moi s'il vous plaît.

Rascher brandit son revolver, fait sauter le cran de sécurité, arme et tire en l'air. Le prisonnier n'a aucune réaction. Il ne retrouvera ses esprits que vingt-quatre heures plus tard et ne se souviendra pas

1. Il est né le 1er novembre 1908.

de sa lente descente immobile dans la chambre à basse pression [1].

— Très bien mon vieux, conclut Rascher, nous recommencerons après-demain.

Les deux hommes qui, pierre à pierre, édifièrent la pyramide nazie, Hitler et Himmler, acceptèrent et provoquèrent les expériences médicales humaines.

Dans « Mein Kampf », la bible du régime, Hitler, après avoir démontré la supériorité de la race aryenne, écrit :

— L'état est un moyen de parvenir à un but. Son but est de maintenir et de favoriser le développement d'une communauté d'êtres qui, au physique et au moral, sont de la même espèce.

Le principe général est posé et vous savez que tous les moyens seront bons pour que ce noyau d'élus, cette caste supérieure, prospère en écrasant les peuples d'esclaves. S'il faut effacer de la terre les êtres inférieurs, on doit aussi se servir d'eux pour l'édification de l'Empire de Mille ans et l'amélioration de la race des Seigneurs. Les sous-êtres sont plus nombreux et moins précieux que les animaux de laboratoire. Lorsque les médecins veulent des singes, ils doivent les faire acheter à Calcutta ou Bombay. Inutile aujourd'hui : la Nasse Barbelée s'est refermée sur des millions de déportés.

---

1. Le rapport de cette expérience figure dans les archives de la 7e Armée américaine et bien sûr dans les archives de Nuremberg.

Le médecin général Karl Brandt, l'autorité suprême dans les domaines médicaux du Reich a affirmé devant les juges qui le condamnèrent à mort à Nuremberg, qu'Hitler avait eu l'idée de ces expérimentations en 1935.

— Il avait émis cette opinion à l'occasion d'une opération subie à la gorge en 1935. Il avait déclaré à l'époque qu'il serait logique d'utiliser des criminels pour mettre au point des problèmes médicaux [1].

Devant les mêmes juges, le professeur Gebhart, ami d'enfance d'Himmler, médecin général et chef occulte des médecins SS, confirma la déclaration de Brandt. Il alla même un peu plus loin :

— Les expériences de Rascher ordonnées par Himmler avaient été exposées au Führer et Hitler avait décidé qu'en principe les expériences humaines

1. Karl Brandt n'avoua jamais qu'il avait été tenu au courant des différentes expérimentations. Né à Mulhouse en 1904 il quitta la France dès 1919. Durant ses études médicales il travailla sous la direction d'Albert Schweitzer, il eut même l'intention de s'embarquer pour Lambaréné mais il aurait dû effectuer son service militaire sous le drapeau français. En 1933 il soigna une nièce d'Hitler blessée dans un accident automobile, il rencontra le Führer, devint son médecin d'escorte puis « presque » ministre de la Santé... Condamné à mort le 20 août 1947 il réclama le privilège de mourir au cours d'une expérience médicale. Les autorités américaines refusèrent. Avant son exécution sur l'échafaud il déclara :

— Ce prétendu jugement d'un tribunal militaire américain est l'expression formelle d'un acte de vengeance politique. Abstraction faite de la compétence contestable de la cour elle-même, il ne sert ni la Vérité ni le Droit. On comprend la chinoiserie du Procureur de la Cour de Nuremberg quand il dit : « Le procès a montré que Karl Brandt n'a rien su des expériences, mais il est coupable parce qu'il aurait dû le savoir. « Comment la nation qui se trouve à la pointe de toutes les expérimentations humaines inimaginables, peut-elle oser accu-

étaient permises lorsque l'intérêt de l'Etat était en jeu. A ce moment elles étaient protégées par la loi, non soumises à des sanctions et au contraire, celui qui n'aurait pas accepté d'exécuter cet ordre militaire aurait été puni. D'après Himmler, le chef de l'Etat pensait qu'on ne pouvait laisser intacts certains des prisonniers des camps de concentration, alors que les soldats combattaient et que des femmes et des enfants souffraient des raids et des bombes.

Hitler se souciait peu du déroulement quotidien de la vie et de la mort dans les camps d'extermination.

— Pour les détails, consultez le Reichsführer SS Heinrich Himmler.

L'ancien étudiant en sciences agronomiques était à la fois adepte de l'esotérisme et pragmatique. Il avoua à Heydrich :

— J'aurais aimé jouer du violon comme vous mais

---

ser et juger des gens qui l'ont tout au plus imitée? Et même l'euthanasie! Que l'on regarde l'Allemagne d'aujourd'hui et sa détresse subtilement prolongée. Il n'est pas étonnant que cette Nation qui portera toujours dans l'histoire de l'humanité le signe de Caïn, après Hiroshima et Nagasaki, essaye de se cacher dans la brume des superlatifs moraux.

« Le droit n'a jamais existé ici mais la dictature de la force. La force exige des victimes et j'en suis une. C'est pourquoi je n'ai pas de honte à me trouver sur cet échafaud; je sers ici ma patrie en toute conscience et de toutes mes forces. Le poteau de Landsberg est le symbole du devoir pour tous ceux qui sont droits et sincères.

« Je pense à mon pauvre pays qui m'est sacré, à mon peuple et à sa puissance qui peinent et s'efforcent, se cherchent et cherchent l'éternel. C'est dans l'éternel que moi aussi je me sens en sûreté. Dans cette heure solennelle pour moi; je remercie la vie qui m'a pris entièrement. Je suis un homme, je me suis donc trompé moi aussi. J'ai failli également mais j'ai toujours combattu en conscience pour mes convictions, avec droiture, franchise, et à visière ouverte.

« Je suis prêt. »

surtout guérir les hommes soit en imposant les mains, soit comme médecin.

Et Gebhart nous apprit à Nuremberg que le livre de chevet d'Himmler était un recueil des pensées et des travaux d'Hippocrate.

— Il n'existe pas de livre auquel Himmler se référait plus souvent que le livre d'Hippocrate. Depuis 1940 ce livre se trouvait sur son bureau.

L'ouvrage lui avait été offert par sa femme; elle collectionnait les ouvrages anciens de « soins à donner aux malades ». Un atavisme logique : Mme Himmler, comme sa mère et sa grand-mère avait été infirmière.

Chez Himmler le besoin de faire expérimenter était une véritable maladie.

— Essayez toujours, il en sortira peut-être quelque chose.

Les charlatans surtout recevaient ses faveurs. Lorsque Mussolini par exemple avait été arrêté et que les services d'espionnage allemands ne savaient pas où il était retenu prisonnier, Himmler réunit en un véritable banquet — cigares, champagne — quarante diseurs de bonne aventure, agitateurs de pendules et autres chiromanciens déportés d'Oraniemburg-Sachsenhausen, pour retrouver le Duce évanoui [1].

Ne nous y trompons pas. Il est facile aujourd'hui d'écrire : « Les dirigeants nazis étaient des fous... Tenez le bon docteur Morell (le médecin privé d'Hitler) le bourrait de strychnine; Himmler dirigeait des sociétés secrètes comme le groupe de Thulé ou l'Ah-

1. Edouard Calic : *Himmler et son empire*. Stock.

nenerbe. Et ces mages voulaient retrouver le trésor des Cathares à Montségur et le Saint Graal entre Tarascon-sur-Ariège et Vicdessos [1]... »

Tout cela est vrai mais Himmler partait du principe que tout devait être tenté dans tous les domaines. Nous en revenons à son fameux :

— Essayez toujours, il en sortira peut-être quelque chose.

Ahnenerbe signifie « héritage des ancêtres ». Cette société avait pour statuts dès 1933 : « Rechercher la localisation, l'Esprit, les Actes et l'Héritage de la race nordique indo-germanique et communiquer au peuple les résultats de ces recherches sous une forme intéressante. »

Bien sûr les « chercheurs » se dispersaient : nouvelle quête de la pierre philosophale et de l'Atlantide, cérémonies initiatiques, magie, occultisme, études des grandes religions, des mouvements mystiques et philosophiques, interprétation des « sagesses » thibétaines ou asiatiques, etc. mais surtout l'Ahnenerbe se consacra, sous le contrôle d'Himmler aux expérimentations humaines. Dès 1942 il ne s'intéressa pratiquement plus qu'à cela. L'Institut était rattaché à l'état-major personnel du second personnage de l'Etat [2].

1. Près de Tarascon une mission recherchait le Graal et le trésor dans la caverne de Bedeilhac. Les fouilleurs conclurent : « La voûte de la grotte est assez élevée pour permettre la construction d'une usine d'aviation. » Un an plus tard la chaîne se construisait.

2. Les aspects ésotériques de la société ont été traités par Louis Pauwells et Jacques Bergier dans *Le matin des Magiciens*, Editions Gallimard et par Edouard Calic (ouvrage déjà cité).

Rascher comme beaucoup d'autres expérimentateurs, était membre de l' « Héritage des Ancêtres ».

Sigmund Rascher était fils de médecin. Lorsqu'il rencontra Nini Diehls il venait d'avoir trente ans; elle quarante-six. Mais Nini Diehls pouvait servir l'ambition de son amant, briser la médiocrité de sa vie; elle n'avait qu'un seul grand ami : Heinrich Himmler. Le couple ne recula devant aucune bassesse. Rascher dénonça même son père à la Gestapo.

— C'est un ennemi du régime...

Il fut déporté.

Si les dirigeants nazis applaudissaient l'union libre, ils aimaient bien recevoir, chez eux, des couples légitimes accompagnés de rejetons blonds. Les Rascher attendirent la naissance de leur second enfant pour signer le registre des mariages. Couple « dans le vent », choyé par oncle Heinrich qui leur offrait des chèques en blanc; ils étaient de toutes les réceptions et Nini Diehls baissait timidement les yeux lorsqu'une matronne dodue, gavée de cochonnailles et de bière lui demandait :

— Vous devez avoir un secret. A votre âge, de si beaux enfants, c'est presque inimaginable!

Le secret des Rascher n'était connu que d'une troisième personne : une servante légère qui avait accepté de vendre sa « production clandestine ». Nini Diehls, satisfaite de la « marchandise », payait rubis sur l'ongle et retenait toujours la « faute » de l'année prochaine. Un jeu de coussins de différentes épaisseurs transformait à souhait la silhouette de cette déjà vieille dame, si jeune encore.

Rascher fréquentait les cercles médicaux aéronautiques. Les pilotes, le docteur Siegfried Ruff, directeur du Centre Expérimental de l'Armée de l'Air l'a affirmé à Nuremberg, ne savaient que faire lorsqu'ils abandonnaient leurs appareils à de hautes altitudes. Ils ne disposaient même pas d'appareil à oxygène pour sauter.

— Les équipages redoutaient après l'ouverture du parachute, la descente et l'atterrissage sur terre ou sur mer, le mal de l'altitude ou la noyade. Nous ne pouvions les aider car nous n'avions pas de bases expérimentales. Or, les avions de combat volaient jusqu'à dix et onze mille mètres. Les avions ennemis volaient même plus haut. Nous avions un chasseur, le Messerschmitt 163 qui était à la période des essais et qui pouvait atteindre dix à douze mille mètres en deux minutes. De plus gros moteurs et de plus grands avions étaient en construction. Ils pourraient atteindre seize mille mètres. Les développements mécaniques avaient dépassé les résultats obtenus en médecine aéronautique. J'avais déjà résolu la question du sauvetage à douze mille mètres; restait le sauvetage à vingt mille mètres.

Rascher savait que Ruff et ses collaborateurs avaient effectué sur eux-mêmes plus de dix mille expériences :

— Il est juste de dire que nous avons reproduit les conditions, jusqu'au point où nous ne pouvions plus les supporter, jusqu'au point dangereux... Nous devions payer notre propre assurance sur la vie... Nous eûmes seulement deux morts.

Ruff était bloqué dans ses recherches lorsqu'il reçut la visite de Rascher.

— J'ai l'autorisation, lui dit-il, d'expérimenter sur des prisonniers de Dachau, des « criminels professionnels ». Cette permission est signée Himmler.

C'était vrai. Rascher avait discuté longuement de ces problèmes avec le Reichsführer SS. Une lettre du 15 mai 1941 officialisait sa demande :

« L'étude des vols à haute altitude nécessitée par le plafond plus élevé des avions de combat britanniques, a pris une place importante. On a jugé regrettable de ne pouvoir faire des expériences sur du « matériel humain » car ces expériences étaient très dangereuses, personne n'était volontaire. C'est pourquoi je pose la question capitale : pouvez-vous mettre à notre disposition deux ou trois criminels professionnels, à des fins expérimentales? »

Par la plume de son secrétaire, Himmler répondit :

« Bien entendu, des prisonniers seront mis avec plaisir à votre disposition... »

Les instituts officiels de recherches ne faisaient pas confiance à Rascher, mais n'osaient pas l'avouer. Il faudrait trouver d'autres médecins capitaines plus sérieux... Rascher serait leur adjoint. Les docteurs Lutz et Wendt refusent. Le fait est assez rare pour être signalé. Le docteur Lutz témoigna à Nuremberg.

— Je ne me considérais pas assez dur pour ce

genre d'expériences... C'est déjà bien assez difficile d'expérimenter sur un chien qui vous regarde et qui semble avoir une sorte d'âme.

Le docteur Romberg avait certainement plus de scrupules que Rascher mais pas assez pour refuser. Lorsqu'il voudra se retirer de l'expérience, il sera trop tard.

***

N'oublions pas que pour Rascher les expériences sont le moyen le plus rapide et le plus sûr d'obtenir une place dans une université. Mais ses travaux, pour avoir plus de poids que ceux d'autres chercheurs comme Romberg, doivent aboutir à des conclusions originales. Le petit médecin capitaine ambitieux dispose d'un dossier volumineux sur le sujet. Des milliers d'essais ont été tentés sur des animaux; la simple arithmétique a fourni des résultats jusqu'à des altitudes de cent kilomètres. Alors? Les expériences sur des êtres humains ne feront que confirmer les données du problème, les modifier dans le détail... une piètre étude! Mais si l'on va plus loin, si on laisse mourir un homme à quinze kilomètres, si on pratique l'autopsie à cette hauteur, ou sous l'eau, pour prouver l'embolie gazeuse; si minutieusement on décrit son agonie... Les directeurs des Instituts aéronautiques ne se manifesteront pas, ils tremblent devant les SS.

Ainsi vont naître à Dachau deux séries distinctes d'expériences. Une première officielle avec des sujets volontaires, bien traités, que l'on montrera aux observateurs galonnés. Tous sont déportés allemands. La seconde clandestine sans Romberg et sans témoins, avec des prisonniers qui le lendemain seront exécutés dans la chambre à dépression.

Ecoutons August Heinrich Vieweg un détenu allemand du camp :

— Au moment même où les moteurs de cette chambre commençaient à tourner, un silence de mort régnait dans l'infirmerie; il arriva souvent que des malades ou même des infirmiers qui se trouvaient dans les couloirs fussent immédiatement amenés sur le lieu des expériences.

Cela alors que dix détenus avaient été sélectionnés par le chef du camp.

Les dix sujets devaient être les sujets d'expérience officiels; ils étaient bien nourris, recevaient du tabac et autant que je sache on les appelait les sujets de démonstration. En dehors d'eux un grand nombre de déportés étaient choisis au hasard dans le camp pour être amenés à cette chambre de dépression. De plus je me rappelle qu'un chef de block, envoyé à l'hôpital pour pneumonie, fut amené à cette station d'expérience et quelques jours plus tard porté à la morgue.

Le témoin numéro un de l'accusation au procès de Nuremberg devait être Walter Neff.

— Les expériences commencèrent le jour de mon anniversaire : le 22 février 1942. La chambre avait été apportée par un camion de charbon. Le docteur

Romberg arriva en même temps, donna les ordres de montage et les directives concernant le courant.

— Il y avait un certain nombre de volontaires car Rascher leur avait promis de les libérer s'ils acceptaient les expériences; une dizaine de détenus furent volontaires. Un seul fut libéré; un nommé Sobotta. Il subit une expérience en présence du Reichsführer SS qui lui demanda depuis combien de temps il était incarcéré. Il fut envoyé plus tard au groupe Dirlewanger, ce qui était la pire chose qui pouvait lui arriver. C'était une division SS entraînée à Oranienburg, chargée d'actions spéciales aux endroits les plus dangereux. Je ne connais aucun cas de prisonnier condamné à mort qui ait eu sa peine commuée en emprisonnement à vie, après avoir subi les expériences des hautes altitudes.

Neff confirma que Rascher travaillait seul le soir. D'après ce témoin, en dehors des dix sujets officiels, cent quatre vingts à deux cents déportés de toutes nationalités subirent les « recherches spéciales » du petit médecin. Plus de soixante-dix moururent, parmi eux seize prisonniers de guerre soviétiques.

— Ceux qui devaient être soumis à des expériences sévères, se terminant par la mort, étaient réclamés par Rascher à l'administration du camp et fournis par les SS... A mon avis de profane, chaque cas de mort dans la chambre à dépression a été provoqué volontairement et intentionnellement. Le pouvoir de Rascher dans le camp n'avait pas de limites. Il devint de plus en plus fort et, à la fin, personne ne pouvait s'opposer à lui. Je ne puis pas nier que j'ai eu l'impression que Romberg désirait se retirer des expériences. Je ne puis pas décider si c'est par manque de courage ou pour d'autres raisons qu'il ne l'a pas fait. L'initiative de tout cela appartenait à Rascher. Je suis convaincu que si Romberg avait eu l'ordre de conduire seul ces expériences, sans Rascher, il n'y aurait pas eu de morts.

Les juges furent convaincus par Neff et ils acquittèrent le « faible » Romberg non sans le malmener.

Question : Pourquoi n'avez-vous pas essayé d'empêcher Rascher d'interrompre les expériences lorsque vous vous êtes rendu compte qu'elles pouvaient être fatales.

Romberg : Du fait de mon éducation et de mes études un homme de science peut difficilement attaquer quelqu'un physiquement, et se livrer à la force brutale. Personnellement je ne suis ni un violent ni un boxeur...

Question : Lorsque la première mort se produisit, vers le 1er avril, comment cela se passa-t-il?

Romberg : C'était une expérience à treize ou quatorze kilomètres : de toute façon Rascher resta trop longtemps à la même altitude, il se produisit une embolie gazeuse qui causa la mort.

Question : Vous teniez-vous simplement à la fenêtre ou bien vous occupiez-vous d'un appareil pour Rascher?

Romberg : Je regardais l'électrocardiogramme;

quand l'expérience arriva à un point critique, où je l'aurais moi-même arrêtée, je le dis à Rascher.

Question : Qu'auriez-vous pu faire pour sauver l'homme au moment où vous avez vu que l'expérience devenait dangereuse?

Romberg : Rascher avait dans la main les commandes d'altitude; il aurait fallu tourner le volant pour augmenter la pression, ainsi l'altitude aurait été réduite dans la chambre.

Question : Pourquoi ne pouviez-vous pas tourner cette roue et sauver la vie de l'homme?

Romberg : Dans ce cas j'aurais du le frapper.

Mais le docteur n'était pas boxeur...

II

LA MORT QUI VENAIT DU FROID

Nini Diehls devenue Madame Rascher pouponnait près de son mari. Tous deux avaient bien mérité de la patrie. Et ce n'était qu'un début : leur fidèle servante Stakhanoviste venait d'annoncer une « livraison certaine » dans un délai de sept à huit mois. Mme Rascher pouvait acheter de nouvelles aiguilles à tricoter; elle serait mère une troisième fois, à quelques jours d'un demi-siècle d'existence. Quant au docteur, il mitonnait des « découvertes extraordinaires ». Torse bombé, cheveux gominés, des piles de dossiers sous les bras, il était l' « irremplaçable savant » du Reich. Sa fatuité lui fermait cependant de nombreuses portes; ne déclarait-il pas au professeur de Physiologie Rein :

— Vous vous croyez physiologiste mais votre expérience est limitée à des cobayes et à des souris. Je suis absolument le seul qui connaisse vraiment la physiologie humaine car, moi, j'expérimente sur des hommes et non sur des cobayes et des souris.

Que craint-il? Rien! il est le protégé d'oncle Heinrich! Plus que jamais.

Au lendemain de la Bataille d'Angleterre, les Services de Recherches de l'Armée de l'Air s'étaient penchés sur les statistiques des sauvetages en mer. Si les Britanniques abattaient sans rémission les avions, la Manche glacée tuait les pilotes du maréchal Gœring avec plus d'efficacité que les balles de mitrailleuse :

— Le problème du froid était très important pour nous [1]. Des aviateurs tombés en mer mouraient de froid malgré leurs vêtements chauds; des aviateurs repêchés vivants mouraient aussi malgré les médicaments, les couvertures chaudes et les autres soins. La Marine avait également l'expérience des naufragés ramenés vivants à terre et qui mouraient. C'était une énigme. Pourquoi ces gens ne récupéraient-ils pas? Pourquoi leur état s'aggravait-il progressivement jusqu'à la mort? Ils étaient tous sans connaissance et raides, mais encore vivants. Ils mouraient et nous n'y comprenions rien.

1. Déposition du Médecin-Général Hippke au procès de Nuremberg.

Rascher à cette époque tuait les parachutistes-cobayes dans la chambre à basse pression de Dachau. Il collectionnait toutes les publications sur le froid mais débordé par ses « inestimables travaux secrets », il ne pouvait mener de front deux expériences différentes. Pour prendre date, il en avait parlé à Himmler. Ce dernier avait souri et cligné de l'œil :

— Les pêcheurs ont trouvé la seule bonne solution. Quand ils débarquent gelés, ils demandent à leur femme de se coucher sur eux...

La fin de la phrase s'était perdue dans les rires et les tapes sur les cuisses.

Le professeur Weltz, dans les semaines qui suivirent, publia un article qui passionna les services de Recherches de l'Armée de l'Air et le docteur Rascher.

« Au cours de leurs études préliminaires sur des cobayes, ils (Weltz et ses assistants) découvrirent tout à fait par hasard que beaucoup de ces animaux qui avaient été refroidis à des températures habituellement fatales, pouvaient être réanimés avec une rapidité remarquable par un bain chaud à 40°. D'après les théories en honneur jusqu'alors, on s'attendait à ce que la littérature médicale appelait la syncope grave par réchauffement [1]. Après cette surprenante découverte, ils essayèrent de plonger rapidement des animaux refroidis trois ou quatre fois dans de l'eau

1. Le Professeur Weltz comme, semble-t-il les médecins de l'Armée de l'Air, ignorait les travaux du Professeur russe Lepczinsky qui, au 19ᵉ siècle, avait avec succès réchauffé rapidement des gelés dans un bain à quarante degrés. Weltz ne faisait que redécouvrir.

à 45 et même 60° ; le pourcentage des animaux ainsi sauvés s'accrut encore. »

Weltz prit alors le chemin de Dachau... Il dépassa le camp de concentration et s'installa dans une gigantesque porcherie à moins de dix kilomètres des « chambres de torture » de Rascher.

— Je transportai mon Institut à Freysing, dans une propriété où l'on élevait des cochons ce qui nous permit d'expérimenter, dans des conditions beaucoup plus proches des conditions humaines. En effet, le porc a un métabolisme proche du métabolisme humain, ses dimensions sont en rapport et il n'a pas de fourrure.

De suite, Weltz obtient les mêmes résultats qu'avec les cobayes. L'Armée de l'Air envisage d'appliquer cette redécouverte [1] à l'homme. Des instructions vont être données aux marins chargés des repêchages en mer pour qu'ils baignent les aviateurs, dès leur sauvetage, dans de l'eau à 40°. Rascher intervient et déclare au médecin général Hippke :

— Himmler m'a donné l'ordre d'expérimenter dans ce domaine.

Ce qui peut paraître aujourd'hui invraisemblable se produisit : le général céda au capitaine... Comme le dira plus tard Gebhardt :

— L'ombre d'Himmler planait.

Cette « ombre » n'obscurcissait pas totalement

---

1. Voir renvoi page précédente.

l'intelligence des experts militaires. Ils décidèrent de faire couvrir l'opération par un spécialiste. Lui seul conduirait l'expérimentation... le pied sur la pédale de frein pour tempérer les ardeurs sanguinaires de Rascher. L'homme choisi, le docteur Holzlöhner, était professeur de physiologie à la Faculté de Médecine de Kiel; les aviateurs lui devaient déjà l'invention d'une combinaison de vol révolutionnaire pour l'époque. Le tissu, les bottes, les gants imprégnés de gaz, dégageaient de la chaleur au contact de l'eau. Le professeur Holzlöhner avait également, tout au long de la Bataille d'Angleterre, étudié et soigné les aviateurs repêchés.

— Il était d'un dévouement exemplaire. Nous n'avions jamais connu un médecin aussi humain. Une seule chose comptait pour lui : notre guérison.

C'est en ces termes que parle du professeur Holzlöhner le capitaine Schlutzer. Alors, comment imaginer qu'il ait accepté d'expérimenter sur des êtres humains? « L'ombre » ne paraît pas une réponse suffisante. Peut-être faut-il se demander si la certitude de l'impunité ne modifie pas l'éthique, la déontologie professionnelle, toutes les valeurs morales de certains individus en libérant les forces malignes, latentes qu'ils portent en eux... Lorsqu'à la première heure de l'anéantissement du Régime le professeur se retrouvera seul, sans protection, il se suicidera.

⁂

Walter Neff savait que le « petit capitaine » allait le convoquer. Tous ces préparatifs dans le block cinq ne pouvaient que cacher une nouvelle « folie ». Quelles images indélébiles remplaceraient celles qu'il portait gravées au fond des yeux.

— Voilà... C'est simple, avait expliqué Rascher, tu t'es bien comporté au cours des expériences à haute altitude...

De mécanicien-infirmier-croque-mort-électricien, Neff devenait assistant-médical.

⁂

Hendrik Bernard Knol, un jeune Néerlandais, sommeillait sur un chalit de l'infirmerie. Son phlegmon guérissait lentement.

— Debout charogne! Suis-moi. Vite!

Knol reçut un coup de crosse alors qu'il enfilait ses galoches.

Devant l'infirmerie un camion vert stationnait.

— Tu vas décharger la glace.

Et « sans comprendre le but de cette opération », Knol transporta une vingtaine de pains de glace dans un curieux bassin de bois qui occupait le centre d'une pièce fraîchement repeinte et que son gardien SS appelait : la salle d'aviation.

⁂

Une table basse, en bois blanc, deux pupitres, un petit bureau ; le long du mur un établi et une paillasse d'évier, des éprouvettes, des cornues, trois tabourets et une chaise ; sur le sol des fils électriques ; au plafond une grosse poutre d'acier... Nous sommes dans la « salle d'aviation » du block cinq. Tous ces objets entourent la « piscine ».

— Le bassin était en bois. Il avait deux mètres de long et deux mètres de profondeur. Il dépassait le plancher d'environ cinquante centimètres. Il y avait dans la salle d'expérience et dans le bassin, un certain nombre d'appareils de mesure [1].

Le père Michialowsky n'eut pas le temps de se poser de questions ; il aperçut les blocs de glace qui flottaient sur l'eau et Rascher lui cria :

— Déshabille-toi.

Le prêtre était polonais. Il avait été choisi comme cobaye par le chef de camp et accompagné près de la piscine par le médecin de l'hôpital de Dachau.

— On fixa des fils à mon dos, puis dans le rectum et je dus remettre ma chemise et mon pantalon, puis un uniforme d'aviateur, une paire de bottes fourrées et une combinaison de vol.

« On me plaça sous la nuque une chambre à air gonflée ; les fils furent reliés aux appareils et je fus jeté à l'eau. J'eus immédiatement très froid et je commençai à trembler. Je dis aux hommes qui étaient là

1. Témoignage de Walter Neff (Nuremberg).

que je ne pourrais pas supporter ce froid plus longtemps, mais ils rirent et me dirent que cela durerait très peu de temps. Je m'assis dans l'eau et gardaî ma connaissance pendant une heure et demie approximativement. Pendant ce temps ma température s'abaissa lentement au début, plus rapidement ensuite; d'abord 37,6, puis 33 et ensuite 30. Je devins à peu près inconscient. A ce moment, on me prenait du sang à l'oreille toutes les quinze minutes. On me donna une cigarette et bien entendu je n'avais pas envie de fumer. Cependant un de ces hommes me donna cette cigarette et l'infirmier qui se tenait auprès du bassin continua de la mettre dans ma bouche et de la retirer. J'en fumai la moitié. Puis on me donna un peu d'alcool, puis une tasse de rhum tiède. Mes pieds devinrent durs comme du fer, ainsi que mes mains, et ma respiration très courte. Je me remis à trembler. Une sueur froide perlait à mon front. Je me sentis sur le point de mourir et je leur demandai encore de me sortir de là.

« Le docteur me donna alors quelques gouttes d'un liquide inconnu, douceâtre, puis je perdis connaissance. Lorsque je revins à moi, il était environ huit heures du soir et j'étais étendu sur un brancard recouvert de couvertures avec au-dessus des lampes chauffantes. Je dis que j'avais faim. Le médecin du camp donna des ordres pour que l'on me donne une meilleure nourriture.

« Je mis longtemps à me rétablir. J'ai conservé une certaine faiblesse cardiaque ainsi que des maux de tête et très souvent des crampes dans les pieds. A mon arrivée au camp je pesais cent kilos, au moment des expériences cinquante-sept. »

Il est évident que le père Michialowsky n'était pas volontaire et qu'il dut attendre, comme ses camarades, l'arrivée des Américains pour être libéré.

Les expériences du professeur Holzlöhner et du docteur Rascher devaient se terminer au début du mois d'octobre 1942. Quatre-vingts déportés se succédèrent dans le bassin; tous furent semble-t-il anesthésiés lorsque la douleur devenait insupportable. Tous furent sortis du bain glacé vivants. « Quinze ou peut-être même dix-huit », témoignera Neff, moururent alors que les médecins tentaient de les réchauffer.

Si cette première partie de l'expérience est condamnable, il faut tout de même reconnaître qu'aucun sujet ne fut tué délibérément. L' « humanité » toute relative d'Holzlöhner devait indisposer fortement le petit médecin capitaine. Il respira enfin lorsque le patron déclara :

— Notre but est atteint, il est inutile de pratiquer d'autres expériences.

Holzlöhner et Rascher rédigèrent leur rapport. Il serait plus juste d'écrire : le professeur Holzlöhner rédigea seul ce texte scientifique de plus de cinquante feuillets dactylographiés. Les conclusions étaient révolutionnaires à l'époque, les Américains les premiers le reconnurent. Un naufragé repêché continue à se refroidir lorsqu'il est sorti de l'eau, ce qui explique les nombreux cas de morts enregistrés après le repêchage. Il faut de suite baigner l'homme dans de l'eau chaude, c'est pour lui le seul moyen de survivre; surtout ne lui donner ni alcool, ni médicaments. Les ceintures de sauvetage au début de la seconde guerre mondiale maintenaient le naufragé allongé sur l'eau et l'aidaient à mieux mourir car la nuque et l'occiput sont plus fragiles que le reste du corps; désormais les ceintures de sauvetage devront soutenir le rescapé dans une position verticale, sa tête reposant sur un boudin de caoutchouc.

Le médecin capitaine raccompagna le professeur Holzlöhner à la porte du camp et se précipita dans son laboratoire. Il était enfin le seul maître des lieux, les véritables travaux scientifiques pouvaient débuter.

Hendrik Bernard Knol approvisionnait toujours la « piscine » en glace.

— Ce soir-là, il devait être neuf heures, je venais de déposer mon dernier pain, un officier entra en compagnie de son chien. Je reconnus Himmler. Le docteur Rascher me fit une prise de sang puis me donna l'ordre de me déshabiller. On me fixa une ceinture de sauvetage. Brusquement je reçus un coup de pied et je tombai dans l'eau glacée. Himmler me demanda si j'étais rouge ou vert [1]. Je lui dis que j'étais rouge. « Si vous aviez été vert vous auriez eu une chance de liberté. » Je ne sais pas combien de temps je restai dans l'eau glacée, ni ce qui m'arriva car je perdis connaissance. Lorsque je revins à moi, j'étais étendu dans un lit, entre deux femmes complètement nues qui essayaient de provoquer un acte sexuel, mais sans succès.

Ainsi donc la lourde plaisanterie d'Himmler sur le pêcheur transi qui se pelotonne dans le giron de sa femme pour retrouver chaleur et vigueur, était à la fois une histoire grivoise et un dogme scientifique. Himmler avait même entrepris le voyage de Dachau pour toucher des yeux sa découverte capitale. Nous possédons sur ce sujet hautement scientifique une collection impressionnante de lettres signées Himmler ou Rascher. Tout au long de la période Holzlöhner, le Reichsführer SS demandait timidement : « Et la chaleur animale? » puis lorsque Rascher expérimenta seul, l'obsession sadique et sexuelle du second personnage de l'Etat pouvait éclater :

— J'ordonne que quatre femmes de Ravensbrück soient envoyées au docteur Rascher.

— Je suis très curieux des expériences réalisées avec la chaleur animale. Je crois que ces recherches nous apporteront les plus grands et plus durables succès. Il est possible naturellement que je me trompe.

1. Les rouges étaient les détenus politiques, les verts des criminels. Le témoignage de Hendrik Bernard Knol figure dans les archives du Bureau d'Investigation des Crimes de Guerre d'Amsterdam.

Rascher réceptionna les quatre prostituées de Ravensbrück. Ses yeux ne pouvaient plus se détacher de la plus grande : Ursula Krauss. Elle pouvait avoir vingt ans, belle, élancée, racée, blonde à rendre jaloux un régiment de purs aryens; au milieu de ce visage parfait on ne voyait que deux grands yeux bleus, rieurs, calins.

— Comment s'écria Rascher, toi une femme allemande de race nordique, tu acceptes de livrer ton corps à des Juifs, à des êtres inférieurs, à des animaux.

Elle répondit brutalement :

— Plutôt six mois dans un bordel que six mois dans un camp de concentration.

Rascher avertit Himmler.

—... Elle présente indiscutablement les caractéristiques de la race nordique. Mes sentiments raciaux sont choqués par l'abandon de cette fille à des éléments racialement inférieurs du camp. Grâce à un métier bien choisi elle pourrait être remise sur le bon chemin. C'est pourquoi j'ai refusé de l'utiliser pour mes expériences.

Le monde pouvait s'arrêter de tourner, Himmler et Rascher devaient sauver de la déchéance cette bonne aryenne. Le seul sentiment qu'ils possédaient, le « sentiment racial » s'indignait. Himmler dicta à son secrétaire une note destinée aux chefs de camp de concentration.

— Ursula Krauss mise sous la protection de l'Etat, appartient à cette catégorie de filles qu'on doit essayer de sauver pour le peuple allemand et pour leur propre vie ultérieure. J'ai découvert que des fous avaient dit aux prisonnières de Ravensbrück que celles d'entre elles qui seraient volontaires pour la maison de prostitution du camp, seraient libérées au bout de six mois.

J'ordonne :

1° Ne doivent être envoyées à la maison de prostitution du camp que les femmes qui ont apporté la preuve qu'elles ne pourraient jamais retrouver une vie régulière. Nous ne devons pas nous rendre coupables d'avilir une femme qui pourrait être sauvée pour le peuple allemand...

2° Toutes les filles jeunes qui peuvent être encore sauvées doivent être séparées des plus âgées... Il faut faire une différence entre celles qui peuvent être réformées et celles qui seront sauvées définitivement... etc.

L'histoire ne saura jamais si Ursula Krauss s'amenda. Une chose est certaine : elle ne s'allongea pas dans le lit de douleur du jeune ouvrier de Haarlem, Bernard Knol. Le 12 février 1943 les travaux obscènes du petit docteur se terminaient par l'envoi à son maître d'un assez court rapport qui devrait figurer dans toute bonne anthologie de la bêtise :

— Les sujets furent refroidis de la façon habituelle, nus ou habillés, dans de l'eau froide (température entre 4 et 9°). Les sujets furent retirés de l'eau lorsque leur température rectale eut atteint 30°. Au cours de huit expériences différentes, ils furent placés entre deux femmes nues, dans un lit spacieux. Les femmes devaient se serrer autant que possible contre le sujet refroidi. Les trois personnes étaient alors recouvertes de couvertures.

Résultats :

1° Quand la température des sujets fut enregistrée, il fut surprenant de constater que la baisse supplémentaire de température avait atteint 3° ce qui constitua une baisse supplémentaire, plus considérable que celle constatée avec les autres méthodes de réchauffement. Cependant la reprise de connaissance se produisit plus tôt. Les sujets se rendirent très vite compte de la situation et se pelotonnèrent contre les femmes nues. L'élévation de la température corporelle se produisit à peu près à la même vitesse que dans le cas des sujets réchauffés par enveloppement dans des couvertures. Quatre sujets firent exception; à des températures de 30 à 32° ils pratiquèrent un acte sexuel. Chez ces sujets la température s'éleva plus rapidement après l'acte sexuel, d'une façon comparable à l'élévation de température qui se produit dans un bain chaud.

2° Une autre série d'expériences fut constituée par le réchauffement au moyen d'une seule femme. Dans tous ces cas, le réchauffement fut nettement plus rapide que lorsqu'il était produit par deux femmes. On peut attribuer la cause à la disparition de toute inhibition personnelle, la femme se pelotonnait beaucoup plus intimement contre le sujet refroidi. Dans ce cas également, le retour à la connaissance complète fut rapide. Un seul sujet ne reprit pas connaissance et le réchauffement fut très faible. Ce sujet mourut avec des symptômes d'hémorragie cérébrale confirmés à l'autopsie.

Rascher concluait que cette méthode de réchauffement était très lente et que l'on devait lui préférer le bain chaud.

⁂

Rascher se précipita, tête baissée, dans de nouvelles recherches. Les plus cruelles sans doute, si l'on admet une hiérarchie dans l'horreur.

Le commandant du camp choisit comme cobayes des officiers russes. Prisonniers de guerre, ils n'étaient au camp de déportation que depuis quelques jours. Rascher avait demandé :

— Je veux les deux hommes les plus robustes du camp... des taureaux de préférence.

Ils furent sortis de la prison. Il était interdit aux autres déportés et aux assistants de laboratoire de leur adresser la parole sous peine de mort. Rascher voulait savoir combien de temps pouvait survivre, dans l'eau glacée, un homme normalement constitué, en excellente forme physique. Les deux officiers se déshabillèrent en silence et se lancèrent dans la piscine. Pendant deux heures ils souffrirent sans crier. Walter Neff demanda à Rascher :

— On pourrait peut-être leur faire une injection.

Rascher se contenta de hausser les épaules. L'un des officiers s'adressa à son camarade :

— Dis à cet officier qu'il peut nous achever d'une balle.

— N'attends rien de ce chien!

— Qu'est-ce qu'ils racontent, interrogea Rascher? Un infirmier polonais donna une traduction approximative, expurgée. Rascher sortit :

— N'y touchez pas. On va voir s'ils battent le record de durée.

Dès qu'il eut disparu, le jeune polonais se pencha sur le bassin pour essayer de chloroformer ces hommes méconnaissables. Leurs lèvres ressemblaient à deux gros poings noueux. Rascher ouvrit brusquement la porte. Il tenait à la main son revolver.

— J'en étais sûr. Tu voulais saboter mon expérience. Je devrais t'abattre comme un chien. Vous tous sachez bien que vous mourrez dans l'eau, comme eux, si vous vous approchez du bassin sans en avoir reçu l'ordre.

Les deux officiers russes luttèrent désespérément contre la mort, cinq heures. Le record de la « piscine » était établi, il ne devait jamais être battu.

Pour élargir le champ de ses investigations, le petit médecin s'attaqua au second chapitre du froid. La campagne de Russie avait prouvé que le « froid sec » des steppes ventées, était de loin, le meilleur allié des troupes soviétiques. Rascher pouvait écrire le 4 avril 1943 :

— Grâce à Dieu, il y a de nouveau une période de gel intense à Dachau...

Quelle aubaine! même le ciel était avec lui.

Moins 8° ! Inespéré. Walter Neff eut une nouvelle pro motion. Il devient en quelque sorte le directeur-adjoint des expériences... Bien malgré lui... mais tout de même. Ecoutons-le :

— Le premier prisonnier fut étendu nu sur un brancard, à l'extérieur du block. Il était recouvert d'un drap et toutes les heures on versait sur lui un seau d'eau froide. Il resta ainsi jusqu'au matin...

Il est difficile d'imaginer la souffrance de cet homme qui se sentait geler de minute en minute, ses hurlements, ses supplications. Mais Rascher ne fut pas satisfait.

— C'est une erreur de l'avoir recouvert d'un drap. L'air n'est pas en contact avec son corps. La nuit prochaine je veux dix « criminels » et surtout pas de drap.

Rascher ne dormait plus, depuis dix-huit jours, que quelques heures seulement au petit matin. Sa fureur expérimentale seule le soutenait. Le dix-neuvième matin il s'approcha de Neff et lui confia :

— Je ne tiens plus le coup. Je vais dormir ces nuits prochaines. Je pense que je peux me reposer sur vous.

Neff décida alors de saboter les expériences.

— Ce soir-là nous donnâmes une anesthésie à l'Evipan à dix prisonniers. Nous laissâmes seulement un détenu dehors jusqu'à dix heures du matin. Nous aurions été prévenus par la lampe rouge des gardes si Rascher était revenu dans le camp. Vers six heures du matin, nous avons rédigé les rapports. Nous indiquions que dix détenus avaient été laissés dehors.

C'est pourquoi dans les feuilles établies on peut voir que des déportés sont restés nus pendant toute la nuit à des températures qui pouvaient atteindre 10° au-dessous de 0 sans aucun accident. Un expert verrait tout de suite que c'est une chose impossible. En théorie, nous pratiquâmes une centaine d'expériences alors que réellement nous en fîmes seulement vingt. Pendant les expériences contrôlées par Rascher, trois hommes moururent. Les sujets avaient été laissés quinze heures dehors. La température corporelle la plus basse constatée fut 25°. La plupart des expériences furent faites sans anesthésie. Au début, Rascher ne voulait pas mais les déportés hurlaient tellement qu'il fut obligé d'accepter.

Rascher estimait que sous anesthésie, les résultats obtenus étaient « très peu scientifiques ». Mais comment faire autrement dans un camp? Le secret ne pouvait être gardé si ces hommes gémissaient et criaient pendant des heures. Une solution : Auschwitz. Là il pourrait installer ses laboratoires dans le « désert » qui entoure le camp. Comme nous connaissons Rascher, nous pouvons être sûr qu'il aurait réussi, mais la découverte d'un déporté chimiste de Dachau : Robert Feix, interrompit brutalement les expérimentations sur le froid sec. Depuis le départ du professeur Holzlöhner, Rascher avait tué plus de quatre-vingts déportés sans compter les prisonniers sur lesquels il expérimentait, seul, dans l'enceinte fermée du four crématoire, des pastilles et des ampoules de cyanure. Il devait tuer là peut-être dix, peut-être cent cobayes humains. On ne le saura jamais. Walter Neff a affirmé :

— Il fabriquait environ soixante à quatre-vingts comprimés par jour. Nous disions entre nous : « Ils sont en train de fabriquer des poisons qui leur permettront de disparaître rapidement lorsque les choses iront mal. »

III

NINI, NOUS SERONS MILLIONNAIRES

Quelle mouche avait piqué Rascher? Il sifflotait sans arrêt alors qu'il aurait du mourir de jalousie : la troisième série d'expériences intéressant l'Armée de l'Air [1] débutait à Dachau et lui, le grand spécialiste des problèmes aéronautiques, n'était même pas consulté. Il se pencha sur le maroquin rouge de son bureau et écrivit à sa femme :

— Nini, je ne peux t'en dire plus, mais tu peux me croire, nous serons très vite millionnaires.

De ces millions, il rêvait depuis toujours. Il en avait assez de tirer le diable par la queue, de compter sur sa femme et sur Himmler pour changer d'appartement, de rideaux, de domestiques. Le temps des « je

1. Les expériences sur l'eau de mer. Voir chapitre suivant.

te dénonce quelqu'un tu me donnes un chèque; je réalise une expérience tu me fais un chèque » était terminé. Rascher allait bâtir des usines en Suisse d'abord, puis il passerait la frontière et irait s'installer au Canada ou pourquoi pas aux Etats-Unis? Les Américains, comme les Allemands, avaient un tel besoin de la découverte de Robert Feix, pardon de la découverte de Sigmund Rascher.

Robert Feix était un chimiste allemand connu : spécialiste des aliments concentrés et de la coagulation du sang. Mais Feix était juif et les nazis ne toléraient guère ce péché originel. Cependant, Robert Feix disposait de ressources impressionnantes; il réussit à se faire établir des papiers attestant qu'il était « demi-juif » du premier degré; encore un peu d'argent et il se retrouverait « aryen » du second degré, puis... Mais une dénonciation brisa cette escalade vers la pureté raciale. On n'accusait pas Feix d'être juif, mais d'avoir corrompu certains fonctionnaires. Feix fut acquitté mais arrêté en fin d'audience sur ordre de Bormann. Pendant sa détention préventive, les domestiques de Bormann, persuadés qu'il ne pouvait être que condamné, avaient déménagé l'appartement du riche chimiste.

A Dachau, Feix poursuit ses travaux et met au point le Polygal 10. Une tablette de son médicament ralentit les hémorragies pendant six heures. Il est trois fois plus efficace que tous les autres hémostatiques déjà fabriqués et sa réalisation coûte trois fois moins cher. Non, Rascher ne peut laisser échapper une telle « fortune ». Il songe sérieusement à faire prendre toutes les six heures, à tous les soldats allemands, sur tous les fronts, toute leur vie de combattant durant, des pastilles de Polygal. Ainsi, les blessés saigneront moins et vivront plus longtemps... Il faudra fabriquer sans arrêt des tonnes et des tonnes de Polygal, des millions et des millions de pastilles de toutes les couleurs, de toutes les formes.

L'expérimentation est facile, il suffit de faire avaler à des malades que l'on va opérer cette drogue... trop facile pour Rascher. Le mauvais diable qui ronge son cerveau en ricanant, lui conseille de tuer, encore, encore, encore.

Nous ne saurions rien de ces expériences sans les déclarations à Nuremberg de l'oncle de Rascher, le docteur Fritz Rascher. Famille parfaitement unie, comme vous pouvez en juger, où le fils dénonce le père à la Gestapo et l'oncle son neveu aux Américains.

L'oncle Fritz qui, de temps en temps, venait voir son neveu à Dachau, pénétra seul, un jour, dans le bureau de Sigmund. Des documents traînaient sur le maroquin rouge.

— Ces papiers avaient trait à l'exécution par fusillade de quatre personnes afin d'expérimenter le Polygal. Autant que je me rappelle, il s'agissait d'un commissaire russe et d'un crétois. Je me rappelle pas qui étaient les deux autres. Le russe reçut une balle dans l'épaule droite qu'un SS, debout sur une chaise, tira d'en haut! La balle sortit près du foie. Le rapport décrivait longuement comment le russe se tordit convulsivement de douleur puis s'assit sur la chaise et mourut au bout de vingt minutes.

J'étais si choqué que je n'ai pas pu lire les trois autres descriptions.

Nous pouvons facilement imaginer.

Rascher entreprit alors, à son compte et en cachette, des tractations avec des laboratoires pharmaceutiques... Il s'entendit avec celui qui était le plus proche de la frontière suisse, à Lustenau. Il rêvait sans doute de contrebande lorsque trois SS vinrent l'arrêter. Rascher avait voulu aller trop vite. Il pouvait tuer sans scrupules, tout le camp de Dachau s'il le désirait, Himmler l'admettait, l'encourageait même, mais il n'avait pas le droit de voler d'un mark le Reich. Ses « amis » le voyant en difficulté enfoncèrent davantage le clou. Nini avait mis au monde son troisième enfant. Eh bien avait-on dit à Himmler c'est un bébé volé... enquête... servante retrouvée... Nini est arrêtée... N.i.n.i. c'est fini ou presque. Mme Rascher sera pendue à Ravensbrück la veille de la libération du camp.

Quant au docteur Sigmund Rascher, il termina sa vie criminelle dans la première semaine de juin 1945. Il occupait une cellule dans le bunker de Dachau; sur le grabat de cette pièce minuscule l'avaient précédé des prisonniers qu'il avait tué dans la chambre à basse pression ou la « piscine ». Le gardien SS, comme tous les soirs, frappa au guichet de la lourde porte en sapin. Rascher se leva pour prendre la gamelle de soupe aux épluchures de rutabagas. Le gardien était prêt; le revolver pointé il attendait. Rascher s'approcha. Le SS de la main gauche ouvrit le guichet. Il avança lentement le bras droit, se baissa pour viser et tira. Puis il ouvrit la porte et donna au petit docteur le coup de grâce que ce dernier avait si souvent refusé à ses victimes.

IV

OPÉRATION NEW YORK

Les grands dignitaires du Reich entendirent au moins une fois, Himmler avancer :

— Vous verrez; avant la mise au point des armes spéciales nous enverrons des avions sur les Etats-Unis. Et ils tomberont sur le cul, ces naïfs qui se croient à l'abri dans leur île. Nous ferons de l'Amérique une seconde Angleterre.

Et si quelqu'un demandait :

— Mais les pilotes?

— Les équipages n'auront pas assez d'autonomie de vol pour revenir en Allemagne. Mais nous les sauverons tous. Je ne veux pas que l'on nous accuse d'envoyer des hommes au suicide.

Depuis 1935, les services de Recherche de la Marine

et de l'Aviation, étudiaient l'eau de mer en laboratoire et se posaient cette simple question :

— Comment rendre potable ces milliards de litres d'eau, au milieu desquels on meurt, en général, de soif?

Himmler et les stations expérimentales SS posaient cette question d'une toute autre manière.

— Combien de temps un homme peut-il tenir en absorbant de l'eau de mer seulement?

Nous ne saurons jamais si Hitler et Himmler désiraient réellement envoyer des bombardiers sur New York et remporter ainsi une éclatante victoire psychologique. C'est probable. L'intérêt particulier qu'Himmler apporta aux expériences sur l'eau de mer, est, pour certains, un début de preuve.

Il existait en Allemagne, à l'époque, deux moyens de rendre l'eau de mer potable. La méthode Schaefer, médecin chimiste mais sous-officier; la méthode Berka, ingénieur célèbre, officier. Le dossier Berka se présentait au départ en meilleure position que la découverte de Schaefer.

Les services techniques de l'Armée de l'Air conseillèrent à Himmler de faire expérimenter l'eau de Berka : la méthode Schaefer nécessiterait la construction d'une gigantesque usine qui « brûlerait » trois tonnes d'argent par mois. Berka, par contre, avait inventé une méthode simple, « pratiquement gratuite » et de plus son eau traitée était très agréable au goût.

— Pardon, réclama Schaefer, Berka est un charlatan. Sa méthode ne fait que changer le goût de l'eau. En une demi-heure, je vous apporte la preuve par analyse chimique que son sirop est en réalité de l'eau de mer, moi par contre...

Il était sous-officier...

L'Armée de l'Air fut chargée de l'expérimentation. Les SS fourniraient les cobayes. Dachau « camp rodé à ce genre de travail » abriterait les chercheurs dirigés par le professeur Beiglböck, de la clinique médicale de l'Université de Vienne. Il était l'adjoint du docteur Hans Eppinger, considéré comme l'un des plus grands médecins vivants en Autriche [1].

Beiglböck croyait en Schaefer; il décida d'expérimenter également son eau.

Karl Holleinreiner et Joseph Laubinger avaient tous deux échoué à Buchenwald. Depuis le temps qu'on leur répétait :

— Vous les Tziganes vous ne valez guère mieux que les Juifs...

... Ils attendaient chaque jour leur transport au four crématoire. A moins qu'une corvée spéciale ne les éloigne à jamais de cet enfer ou les morts devaient

1. Le docteur Eppinger se rendit à Dachau pour suivre les travaux de son élève. Il se suicida à la Libération après avoir été convoqué pour témoigner à Nuremberg.

être plus heureux que les vivants. Ce matin-là, le haut-parleur hurla leur nom et leur matricule, au milieu d'une longue liste d'autres tziganes. Karl qui songeait souvent à se précipiter dans les barbelés pour mettre fin à ses souffrances se sentit soulagé : il n'aurait pas à se suicider; cette « sélection » annonçait sa mort prochaine, la disparition, l'effacement d'une race.

— Vous avez une sacrée veine « les moins que rien » claironna le Kapo, vous partez déblayer les rues, après les bombardements...

— Quelle ville?

— Vous verrez bien!

Les petits yeux gris et les profondes balafres ouvertes dans les joues, accueillent les tziganes à Dachau. Le professeur Beiglböck réclame à ses assistants un examen physique et radiologique approfondi de tous les prisonniers. Sur les soixante-trois arrivants, il retient quarante-quatre cobayes.

Joseph Laubinger croyait encore à la formation de ce commando de déblaiement mais très vite le « balafré » le détrompa. La scène se déroula dans la baraque 1/4.

— Vous êtes ici pour participer à des expériences médicales sans danger. Je le répète sans danger. Vous serez très bien nourris, vous fumerez, vous aurez simplement, sous notre contrôle, à avaler des petites quantités d'eau de mer. Karl Holleinreiner s'étonna de son courage. Pour la première fois il osait élever la voix.

— Nous ne sommes pas venus ici pour subir des expériences.

Un autre détenu, Rudi Taubmann, enchaîna :

— Moi je refuse.

Le « balafré » s'approcha de lui :

— Toi si tu ne te tiens pas tranquille, tu sais ce qui arrivera.

Se tournant vers les autres :

— L'expérience n'est pas dangereuse, personne ne mourra. D'ailleurs après vous serez libérés. Que ceux qui ont des parents dans l'armée me donnent leurs noms.

Le block 1/4 était isolé. Les médecins n'utilisèrent que la grande chambre de gauche. Des SS montaient la garde à la porte du couloir et à l'entrée des W.C. Beiglböck avait choisi quarante-quatre hommes parce qu'il disposait de quarante-quatre lits dans cette pièce. Tous les tziganes étaient jeunes, la plupart avaient moins de vingt ans; le plus jeune seize ans. Il est impossible de rentrer dans le détail de l'expérience car, pratiquement, chaque tzigane suivait un régime particulier : beaucoup eurent à jeûner pendant cinq à sept jours, d'autres absorbèrent des rations militaires; certains devaient avaler cinq cents centimètres cubes d'eau de mer, ou d'eau de Berka, ou d'eau de Schaefer; quelques-uns mille centimètres cubes.

— Dès le premier jour, raconte Laubinger, un des détenus nous dit que si nous buvions l'eau de mer, nous mourions certainement; nous devrions nous entendre et refuser de boire. Beiglböck en entendit parler et hurla au sabotage. Il ajouta : « Tu sais ce qui arrive aux saboteurs? On les pend! »

L'homme avala l'eau de mer, mais il vomit aussitôt. Beiglböck vint avec un tube de caoutchouc et lui fit absorber ainsi une plus grande quantité d'eau de mer.

Pendant l'expérience des déportés lèchent les robinets condamnés des W.C. L'un d'eux découvre une fuite derrière une cuvette.

— Cet homme, Beiglböck l'attacha à son lit et lui ferma la bouche avec du sparadrap. Je l'ai vu, avec sa bouche bandée. Il était deux lits après le mien... Plusieurs sujets eurent des attaques, se roulant sur les lits et criant comme des petits enfants, l'écume à la bouche.

Le tzigane Holleinreiner portait le numéro 23 :

— J'ai bu la pire qualité d'eau, la jaune (l'eau de Berka). Je me rappelle que dans le deuxième lit de la première rangée, en entrant, l'homme aboyait comme un chien. Il avait de l'écume aux lèvres. C'est lui qui eut la première ponction du foie. Nous étions fous de soif et de faim, mais le médecin n'avait pas pitié de nous. Il était froid comme glace. Il ne nous prêtait aucun intérêt. Un tzigane qui avait mangé un petit morceau de pain et bu de l'eau pure, rendit Beiglböck furieux. Il fut attaché à son lit et sa bouche bouchée avec du tissu adhésif. Un autre tzigane qui se trouvait à droite, un gros et vigoureux garçon, refusa de boire. Il lui fit avaler une sonde. Le tzigane s'agenouilla et supplia. Mais le médecin versa l'eau dans la sonde.

Un infirmier, Joseph Worlizeck, par négligence, répandit de l'eau salée par terre.

— Je sortis pour chercher un chiffon. J'épongeais l'eau. Quand j'eus fini, j'oubliai le chiffon; les tziganes le prirent et sucèrent l'eau.

La serpillière avait été rincée à l'eau douce avant de servir à essuyer l'eau salée.

— Beiglböck me convoqua et me menaça, si le fait se reproduisait, de m'utiliser dans les expériences. Je n'ai pas vu mourir de sujets, mais un tzigane me dit après les expériences, qu'un de ses amis était mort trois jours après avoir quitté le block.

Le docteur Roche [1] et les membres du comité clandestin de résistance du camp désiraient à tout prix savoir exactement ce qui se passait à l'intérieur du block mystérieux. Plus tard, si l'un d'entre eux quittait Dachau vivant, il pourrait témoigner... Le docteur Roche en insistant, persuada le professeur Beiglböck de l'utiliser dans son équipe d'assistants.

1. Médecin ophtalmologiste français, président de l'Amicale Française des Anciens de Dachau, interviewé par l'auteur le 4 janvier 1967.

— Il vous manque un spécialiste des yeux... Les observations que je pourrais faire au fond de l'œil seront précieuses pour vos études.

Beiglböck accepta et Roche découvrit alors :

— Le Radeau de la Méduse. Ils devenaient fous. Ils hurlaient comme des cochons. Des fous! Ils étaient fous! Ils se sentaient devenir fous. Ils étaient persuadés qu'ils allaient tous mourir. Ils somnolaient en râlant lorsqu'ils étaient épuisés. Un spectacle horrible : leur peau parcheminée se détachait en plaques, les artères temporales étaient sinueuses... Ils avaient vieilli de quarante ans en quelques jours. Toutes les chevilles étaient éléphantasiques. J'ai réussi à convaincre Beiglböck de stopper l'expérimentation sur trois tziganes en lui disant qu'ils allaient mourir certainement. Il m'a écouté.

Ces hommes furent couchés sur des civières et transportés à l'infirmerie. La première série d'expérimentations s'était déroulée alors que le camp connaissait une vague de chaleur inhabituelle. Soudain, le samedi après-midi, comme Beiglböck partait se reposer, le ciel s'obscurcit et la pluie transforma en boue la terre battue de Dachau. Roche, seul avec le personnel déporté, décida de prendre des mesures pour que les « prochains » cobayes n'aient pas à souffrir de la soif.

— Les poutres, juste au-dessous du plafond de la salle, étaient la meilleure cachette. Nous avons fait la chasse aux récipients et nous avons pu dissimuler sur les poutres plus de quarante litres d'eau. Je pus même, au cours des expériences, faire entourer la tête de plusieurs tziganes de chiffons mouillés. L'expérience était complètement truquée et comme les résultats étaient sensiblement différents de ceux observés la semaine précédente, Beiglböck conclut :

— Il a plu cette semaine, les conditions atmosphériques ont une importance capitale.

Le docteur Roche ne fut pas recherché à la Libération pour témoigner à Nuremberg. Les juges et les experts palabrèrent plusieurs jours pour deviner ce qui se cachait derrière les résultats si différents entre les séries... Ils ne pouvaient se douter qu'au-dessus des lits, sur les poutres, étaient cachées des gamelles d'eau, vidées lorsque Beiglböck disparaissait et souvent remplies au robinet débloqué des W.C.

— Faites entrer le témoin Karl Holleinreiner. Le tzigane, survivant de Dachau, se présenta devant le tribunal de Nuremberg puis, comme le président lui demandait s'il reconnaissait l'accusé Beiglböck, le tzigane s'avança vers le box lentement. Il est facile d'imaginer la haine de cet homme et ce qui se passa. Holleinreiner bondit dans le box et les poings levés se précipita sur l'accusé. Les gardes américains le maîtrisèrent.

Le Président : Que le Maréchal de la Cour amène

le témoin devant le Tribunal. Le témoin est puni de quatre-vingt-dix jours de prison. Avez-vous quelque chose à dire pour expliquer votre conduite?

Holleinreiner : Je suis très excité. Cet homme est un meurtrier. Il a ruiné ma santé.

Il ne fut jamais prouvé à Nuremberg que Beiglböck fut un meurtrier. Des déportés avaient vu des formes humaines allongées sur des brancards, le corps et le visage recouverts d'un drap. Le médecin balafré expliqua :

— Lorsque je les faisais sortir pour des examens, je les recouvrais entièrement d'un drap pour qu'ils ne voient pas l'eau...

Drap ou suaire? La question n'aura probablement jamais de réponse. Beiglböck pataugea longuement dans ses explications; il reconnut avoir falsifié quelques fiches d'observations après son arrestation pour « atténuer » la mauvaise impression que pourraient retirer de leur lecture certains néophytes. Les juges et les experts l'aiguillonnèrent avec faiblesse. Beiglböck ne fit aucune découverte; il conclut à l'inutilité de la méthode Berka, à l'efficacité de l'eau de Schaefer et conseillait aux naufragés de boire des petites quantités d'eau salée. Il fallut attendre le voyage fou d'un naufragé volontaire fou, à bord d'un canot fou pour apporter la lumière sur le sauvetage des naufragés. Alain Bombard traversa l'Atlantique à bord de l'*Hé-*

rétique en 1952... Il était médecin... Il expérimentait... Mais sur lui seul. A cette date, Wilhelm Beiglböck purgeait dans la prison de Munich une peine de quinze ans de détention.

V

L.S.D. OU SERUM DE VERITE

Le lieutenant-colonel, comte von Stauffenberg, chef d'Etat-Major de l'Armée de réserve éternua. Il sortit son mouchoir, se moucha et déposa sa serviette en box-calf noir, patinée, éculée, toujours gonflée de dossiers et de documents contre le pied de la table de chêne. Un pied épais, noueux. Un pied large. Un pied trop épais, trop large, il s'en apercevait soudain pour la première fois. Il pensait que comme toutes les tables, celle où s'appuyait Hitler dans la « Tanière du Loup » de Rastenburg devait avoir quatre pieds. Eh bien non! Deux suffisaient pour soutenir cette masse de bois. De la pointe du soulier, il repoussa la serviette et éternua à nouveau. Il était 12 h 35, ce 20 juillet 1944... Depuis sept minutes l'acide du détonateur rongeait l'attache du percuteur. Dans cinq minutes il serait libéré et la bombe à oxygène exploserait. Hitler tué par un explosif anglais! un comble! Hitler était nerveux. Il se trémoussait, reniflait en fixant le colonel Brandt. Le colonel devant son Führer et les membres de l'Etat-Major brossait un tableau de la situation en Galicie. Un amphi avec graphiques et cartes.

Von Stauffenberg se pencha vers Keitel.

— C'est long. J'ai un coup de fil à donner. J'en ai pour une minute.

Hitler ne tourna pas la tête. Il devait rêver à Mussolini qui, dans moins de deux heures, serait à son quartier général. Brandt avait déjà heurté deux fois la serviette noire; sa cheville droite la rencontra à nouveau. Il se baissa en dépliant une carte et, d'un geste rapide, la saisit et la plaqua contre le pied; ce pied sans élégance, lourdaud, grossier. Ce pied, bouclier, écran, blindage entre la bombe et Hitler. Quatre minutes après la sortie du comte, la serviette bondit comme un diable; la fumée lécha le chêne; l'explosion souleva la table, le toit; les murs se lézardèrent... Il y eut des morts, des blessés mais Hitler ne fut que commotionné... Son étoile! La suite est connue : arrestations, interrogatoires, tortures, exécutions, purge : cinq mille têtes tombèrent.

Ce qui est moins connu c'est l'expérience curieuse déclenchée par Himmler et l'Ahnenerbe à la suite de l'attentat; elle ne figure dans les archives d'aucun procès médical; à ma connaissance, aucun auteur n'en a parlé à ce jour. Himmler fit établir par l'Institut pour l'Héritage des Ancêtres, une étude « sans précédent » sur les drogues hallucinogènes et autres stupéfiants. Il s'agissait pour les « chercheurs ésotériques » d'abord, les expérimentateurs ensuite, de découvrir le fameux sérum de la Vérité, le produit miracle qui permettrait aux SS d'interroger sans qu'ils s'en rendent compte, les militaires allemands car, ce détecteur de mensonge avant la lettre, était en priorité réservé aux officiers en mal de complot. Mais pour dépister les futurs puschistes, le produit devait être efficace et sans goût.

⁂

L'Ahnenerbe remit son rapport à Himmler dans la semaine de Noël. Une plante mexicaine, un minuscule cactus sans épine, le Peyotl, réunissait les propriétés et les espérances désirées. Si l'on voulait aller même un peu plus loin, une autre plante mexicaine, le Sinicuichi rendait, ceux qui en absorbaient une forte dose, amnésiques. La fin de la guerre ne devait pas permettre de vérifier l'efficacité de l' « herbe de l'oubli ». Par contre, huit déportés de Dachau furent sélectionnés pour tester le Peyotl-Mescaline, sous le regard étonné du médecin colonel Plottner.

Dans l'est du Cora, au nord de Mexico, les indiens Huichols abandonnent, une fois par an, le culte du Soleil, leurs huttes, leurs femmes, pour aller adorer et cueillir le Peyotl le long de la frontière des Etats-Unis. Ils doivent partir toujours à la même date, en chantant; coucher dans des clairières sacrées; danser chaque soir de chaque jour de marche. Une longue marche... Pour les plus éloignés des champs d' « émerveillement », 900 kilomètres aller et retour. Le Peyotl, c'est une tête verte qui sort du sol. Le géant de ces cactus atteint quatre centimètres de haut. Avant de le décoller de la poussière, l'Indien s'incline trois fois, puis il découpe la boule en rondelles comme un saucisson. Le Peyotl saigne, se fane; le vert tourne au gris. Il séchera au soleil en rougissant. Les Indiens modernes l'ont baptisé « Whisky Dry » et en 1911, Joseph Rave, fondateur à New York, d'une église satanique, remplaça l'hostie de la communion par cette « rondelle de lumière ». Ses fidèles juraient tous et jurent encore que le Peyotl leur fait découvrir le Paradis de l'Eternité. Du Peyotl, les chimistes tirent la mescaline. Le frère d'Aldous Huxley, Thomas, sépara la mescaline du Peyotl; l'écrivain ne put résister à la tentation de se plonger dans ce « rêve coloré ».

— Il y eut de somptueuses surfaces rouges, s'enflant et s'étendant à partir de nœuds d'énergie brillants qui vibraient d'une vie aux dessins continuellement changeants.

Au début de l'année 1945, le déporté belge Arthur Haulot s'assit en face du médecin Plottner dans l'une des chambres du centre de recherches SS de Dachau. C'était un dimanche glacial. Sur une table, une bouteille de cognac français et deux verres.

— Asseyez-vous.

Plottner versa l'alcool dans les verres.

— Du cognac simplement. Goûtez. Essayez, de vous souvenir exactement du goût.

Arthur Haulot dégusta la première gorgée. Il claqua la langue; ses papilles gonflées redécouvraient un monde qu'il avait oublié.

— Bon?

— Très bon.

— Ecoutez bien maintenant. Je délaye la mescaline dans le verre. Dites-moi si le goût du cognac est changé.

— Je ne trouve rien. C'est le même cognac. Le même goût.

Pendant deux heures, rien ne se passa.

— Puis j'ai [1] perçu les premières manifestations du poison sous forme d'une première vision extraordinairement colorée.

Assez rapidement, les visions se sont multipliées, jusqu'à en arriver à me donner l'impression que mon cerveau était entièrement encombré par ces créations.

Ces visions prenaient, pour moi, l'aspect de formes géométriques, variant du losange à la courbe ondulatoire. Elles avaient toutes, pour origine, une espèce de point central d'un violet extrêmement sombre, d'où elles surgissaient, à un rythme que je qualifierais de musical, en revêtant les couleurs à la fois les plus nuancées et les plus vives.

1. Témoignage reçu par l'auteur le 15 janvier 1967.

Pendant une heure encore Arthur Haulot est conscient qu'il participe à une expérience. Il suit avec intérêt le travail des médecins déportés qui prennent sa tension, lui font une prise de sang, examinent ses yeux. Le docteur Roche constate que ses vaisseaux ont doublé de volume.

— La mescaline est un vaso-dilatateur puissant. Haulot était rouge. Il ressemblait à un homme ivre.

Le « cobaye » sent qu'il perd conscience mais il conserve une lucidité relative et sa mémoire. Plottner s'approche :

— Ecoutez-moi bien. Croyez-vous que d'un homme dans votre état, il serait possible d'obtenir qu'il dise ce qu'il ne devrait pas dire?

— Au prix d'un effort assez grand, j'ai pu assimiler sa question et répondre fermement par la négative.

Environ une heure plus tard, la même question m'a été posée. J'étais à ce point dominé par les visions toujours plus riches et plus colorées, que le fait de rentrer en contact avec la réalité et notamment d'ouvrir les yeux et de raisonner, m'est apparu comme un supplice absolument sans aucune mesure avec tout ce que j'avais, jusque-là, connu au travers de trois ans de camp.

J'ai répondu, tout d'abord : « oui tout », j'ai ajouté : « Demandez-moi si j'ai tué mon père et ma mère, je répondrai oui, pour que vous me fichiez la paix. » Puis, me raisonnant, au prix d'un effort beaucoup plus douloureux encore, j'ai jeté rageusement « mais de moi, vous ne saurez rien ».

Le colonel a ri, m'a rassuré sur ses intentions à mon égard et a quitté la pièce.

On m'a demandé, à ce moment, de me lever et d'écrire ce qui me passait par la tête. De nouveau, l'effort fait pour m'arracher du lit, tenir les yeux ouverts et comprendre les questions qui m'étaient posées m'ont paru comme l'expérience la plus effroyablement douloureuse que j'ai traversée.

Je me suis débattu pendant de longues minutes, en refusant d'écrire quoi que ce soit. Je n'avais plus du tout la certitude, à ce moment, d'être un cobaye volontaire entouré d'amis, mais j'avais, au contraire, le sentiment d'être pris dans un piège.

Je crois avoir fini par écrire quelques mots, probablement sans suite, après avoir recouvré la certitude qu'il ne s'agissait que d'une expérience et que le seul but à atteindre était de comparer mon écriture normale avec celle que je pouvais avoir dans cet état.

On m'a alors accordé un repos complet.

Vers sept heures trente du soir (l'absorption de la mescaline avait eu lieu à midi), j'ai pu rejoindre ma chambre d'infirmier au block trois.

J'étais très exactement comme un boxeur groggy. Je devais m'appuyer aux murs pour avancer.

J'ai pu faire part, rapidement, de mes impressions à quelques camarades. Mon cerveau continuait d'être encombré d'images colorées, mais sur un rythme décroissant.

J'ai pu alors me coucher dans mon propre lit; mais dès que je sentis que j'étais effectivement en sûreté, en dehors de la salle d'expériences et entouré exclusivement de camarades, j'ai piqué une véritable crise de folie furieuse. Je hurlais et me débattais, sans pouvoir reprendre le contrôle de mes nerfs, absolument brisés.

J'ai été veillé toute la nuit par un ami qui m'a affirmé, le lendemain, que la crise avait perdu sa violence vers une heure du matin et que j'étais resté jusqu'aux environs de cinq heures sans pouvoir m'endormir.

Au réveil, je me suis senti dans un état normal, à ceci près que j'avais un immense sentiment de lassitude physique, qui a disparu dans les vingt-quatre heures.

J'ai retrouvé, immédiatement, mon appétit habituel et ma capacité normale de raisonnement.

Je n'ajouterai qu'un détail, probablement sans importance, mais qui, personnellement, m'a beaucoup intéressé : avant l'expérience. j'avais toujours rêvé, comme la plupart des gens, en gris : j'ignorais même que certaines personnes rêvaient en couleur. Pendant très longtemps, après l'expérience, il m'est arrivé de rêver en couleur; c'est encore le cas, mais de plus en plus rarement aujourd'hui.

J'estime que les expériences faites à Dachau ont démontré ceci :

1. L'absorption du produit, surtout si elle se fait sans que le patient en ait conscience, doit immanquablement amener chez lui un état d'affolement qui le

prive, au plus fort de la crise, de toute espèce de résistance spirituelle.

2. On peut obtenir du patient, dans ces conditions, je ne dirai pas n'importe quel aveu, mais n'importe quelle déclaration.

Sans doute, par hasard, peut-on obtenir que le patient dévoile une vérité qu'il voudrait cacher mais, beaucoup plus généralement, on obtiendra simplement de lui qu'il souscrive à n'importe quelle accusation portée contre lui, même la plus invraisemblable, parce que son seul désir n'est pas du tout de se débarrasser d'un secret, mais bien plus simplement d'échapper à la souffrance intolérable que lui cause l'obligation de s'isoler du rêve créé par la drogue.

Mes conclusions correspondent à celles que m'ont formulé divers autres camarades de Dachau qui s'étaient livrés à la même expérience, la seule différence de l'un à l'autre consistant dans le fait que les visions, tout en gardant pour tous les sujets la même intensité de coloration, changeaient de forme, apparemment en fonction d'éléments de leur subconscient.

Certains, en effet, m'ont fait part de ce que ces visions revêtaient, pour eux, un caractère essentiellement érotique par exemple.

Huit déportés dégustèrent le cognac à la mescaline. Puis le médecin colonel disparut dans la débâcle avec ses dossiers, ses conclusions et sans doute ses bouteilles de V.S.O.P. Les militaires allemands n'avaient plus besoin de sérum de la Vérité-L.S.D., pour hurler à la mort contre Hitler.

VI

LES PETITS LAPINS DE RAVENSBRUCK

Le nouveau chauffeur l'attendait, figé au garde-à-vous. Choisi par la Gestapo, ce remplaçant ne pouvait être qu'un homme sûr.

Le SS Obergruppenführer Reinhardt Heydrich, adjoint d'Himmler, chef du service de sécurité du Reich, gouverneur-protecteur de Tchécoslovaquie, n'en demandait pas plus. Il le regarda à peine, ne répondit pas à son salut et s'installa à l'avant de la Mercédès. Le soleil de ce 27 mai avait un petit air de juillet.

Heydrich planait au sommet de sa gloire; Himmler et Bormann le craignaient. Oui, il était dangereux depuis que le Führer lui avait laissé miroiter le portefeuille de l'Intérieur, le jour anniversaire de ses trente-huit ans.

Reinhardt Heydrich devait tout à Himmler.

— Je vous ai trouvé, dégrossi, fabriqué, poussé...

Il avait été chassé de la Marine pour une affaire de mœurs. Imaginez un enseigne de vaisseau qui non content de saouler la fille d'un officier supérieur, la viole et lui « emprunte » de l'argent... Sans ressources, il choisit le « Parti » pour Armée du Salut.

Le voici très vite gravissant les marches de son ascension vers le pouvoir. Intelligent, beau — grand et blond, — amateur de musique et de réceptions mondaines, électrique devant les femmes, passionné pour ses maîtres et leur nouvelle philosophie, il découvrait chaque jour un moyen nouveau pour plaire. Un seul complexe le rongeait : sa voix haut perchée, féminine, à la fois aiguë et blanche. Une note poussée par un fausset gigantesque. Mais ses pantalonnades et ses prouesses dans les maisons de rendez-vous le rassuraient sur l'avenir de sa virilité.

La Mercédès aux ailes enrubannées de fanions SS et du drapeau de la Régence du Reich ralentit en abordant le dernier virage avant les faubourgs de Prague. Les deux ouvriers en bleu de chauffe attendaient à la sortie de la courbe. Ils rejetèrent leur musette en arrière et probablement sourirent. Une chance inespérée! La voiture était décapotée. Heydrich fixait la route. Il en connaissait chaque nid de poule. Moins de dix kilomètres séparaient sa « résidence provinciale » du château impérial de Prague qui abritait ses services et ses fichiers.

L'ouvrier tchécoslovaque, Josef Gabeik lâcha sa bicyclette et bondit vers la voiture, revolver au poing. Dès le premier coup de feu, le chauffeur lâcha l'accélérateur. Heydrich hurla et se leva.

Dans la main de Jan Kubis, tapi un peu plus loin, dans le fossé, une lourde grenade-bombe, dont l'explosion était réglée à sept secondes. Kubis ne la lança pas mais la fit rouler comme une boule de pétanque. Heydrich tirait. Il blessa légèrement Gabeik. La charge quadrillée arrivait à la rencontre du cochonnet. Kubis et Gabeik se plaquèrent au sol. Avant d'être parachutés en Tchécoslovaquie ils avaient répété cent fois peut-être l'attentat dans une école spéciale des commandos en Grande-Bretagne... Tout se déroulait ici trop parfaitement. La bombe roulait, elle allait dépasser la voiture... Non! elle explosa sous le châssis. Les deux hommes enfourchèrent leur bicyclette et disparurent dans un nuage de fumée. Kubis, à la seconde même de l'explosion, avait décapsulé deux pots fumigènes.

Le fier Obergruppenführer fut un blessé détestable, pleurant, insultant, maudissant, implorant.

— Ne me laissez pas mourir!

Sa chambre de l'hôpital municipal de la Bullouka vit défiler toutes les sommités médicales du Reich. Le professeur Hohlbaum recueillit sur le corps du blessé une vingtaine d'éclats avant de pratiquer l'ablation de la rate et d'extraire une balle. Le général SS

Karl Gebhart, professeur de clinique chirurgicale à la Faculté de Médecine de Berlin reçut l'ordre, signé Himmler, de sauver Heydrich.

Cheveux en brosse, lunettes épaisses, nez cassé, lèvres fines, Gebhart a raconté devant ses juges de Nuremberg les tentatives faites pour sauver le chef du service de sécurité :

« J'arrivai par avion trop tard, après l'attentat; il avait été opéré par deux chirurgiens connus de Prague et je n'eus qu'à contrôler le traitement. Hitler et Himmler téléphonaient chaque jour pour obtenir des renseignements et faisaient des suggestions dont deux prirent presque la forme d'un ordre : appeler mon maître, Sauerbruch et le médecin du Führer, Morell, qui désirait utiliser sa propre méthode.

Je n'hésitai pas à prendre nettement mes responsabilités; la balle avait déchiré l'abdomen et la poitrine. L'opération avait été bien faite et des sulfamides employées. Je pense que trop de nervosité et de trop nombreux médecins mettent en danger la vie d'un malade, c'est pourquoi je refusai d'appeler Sauerbruch et Morell. Heydrich mourut.

Hitler me fixa rendez-vous puis refusa de me recevoir. Il m'adressa à Himmler. J'eus avec lui une discussion très rapide : il m'indiqua clairement la situation :

« La mort de Heydrich équivaut à la perte d'une bataille telle que nous n'en avons pas encore subie... »

Himmler ne faisait que répéter les termes d'Hitler. Quant à Morell il avait conclu :

« Si mes sulfamides modernes avaient été administrées les choses auraient été différentes. »

Et Gebhart poursuit devant le tribunal de Nuremberg, sans se rendre compte de l'importance capitale d'une simple petite phrase :

« Quant à moi, ma réhabilitation dépendait des preuves cliniques de mon traitement à Prague et des résultats des expériences sur les sulfamides. »

Voici l'aveu : Gebhart pour survivre politiquement devait prouver que les sulfamides étaient inefficaces. Ces expériences envisagées depuis les désastres de la campagne de Russie où chaque blessé grave n'avait aucune chance de se rétablir, pouvaient débuter. Heydrich mort, condamnait les déportés car il n'était pas question pour Gebhart d'expérimenter dans son propre hôpital sur les nombreux blessés allemands rapatriés de Russie. Son hôpital de Hohenlychen n'était éloigné que de douze kilomètres du camp d'expérimentation qu'il avait choisi : Ravensbrück.

Gebhart voulait des « petits lapins » jeunes... L'âge de ses soldats et de préférence d'une même nationalité.

— C'est plus pratique pour les graphiques.

— Justement, lui signala le commandant du camp, plusieurs centaines de Polonaises sont arrivées au mois de septembre dernier.

— Des filles solides, aussi dures que des hommes.

Vladislawa Karolewska est appelée le 25 juillet 1942 [1] à l'hôpital de Ravensbrück. Elles sont là, soixante-quinze à attendre la décision des quatre médecins que dirige l'adjoint de Gebhart : Fischer.

Dix femmes sont retenues. Karolewska apprendra la semaine suivante, par une prisonnière, que toutes les Polonaises du premier groupe sont couchées, les jambes prises dans le plâtre.

— Le 14 août, je fus moi-même convoquée à l'hôpital avec huit de mes camarades; on me mit au lit et on nous enferma après nous avoir fait une piqûre. Puis on me transporta à la salle d'opération. Là, les médecins du camp me donnèrent une deuxième injection intraveineuse. Je remarquai le docteur Fischer qui avait des gants et je perdis connaissance.

Lorsque je me réveillai, ma jambe était dans le plâtre jusqu'au genou et je ressentis une très forte douleur. Ma température était très élevée et du liquide s'écoulait de ma jambe.

Le commandant rendit visite aux opérées et leur présenta un papier :

— Ce n'est rien, vous signez que vos blessures proviennent d'un accident du travail.

Toutes refusèrent.

Le lendemain Vladislawa Karolewska était transportée à la salle d'opération.

---

1. Heydrich est mort le mois précédent.

— On me mit une couverture sur les yeux. J'avais l'impression qu'on coupait quelque chose dans ma jambe.

Deux semaines d'attente, de craintes, d'espoir aussi et puis Gebhart arrive : Vladislawa ne songe qu'à sa jambe :

— Je regarde... l'incision était si profonde qu'on voyait l'os.

Le 8 septembre, elle est renvoyée au block. Elle se traîne; sa blessure baigne dans le pus. Nouvelle opération à l'hôpital.

— Comme je faisais remarquer à mes camarades les mauvaises conditions des soins, le docteur Oberheuser me fit aller seule à la salle d'opération, à cloche-pied.

Les Polonaises rédigèrent une lettre de protestation. Elles ne reçurent aucune réponse.

— Une femme est revenue me chercher. On me demandait à l'hôpital. Je refusai et marchai jusqu'au block n° 9. La surveillante dit :

— Pourquoi vous tenez-vous ainsi, comme si vous alliez être exécutée?

La surveillante revint un peu plus tard avec des SS. Quatre Polonaises sont traînées au Bunker, la prison. Des cellules minuscules, sales et obscures.

— Ils me donnèrent du café noir et un morceau de pain noir, puis je fus conduite dans le bureau du médecin SS Trommel. Il me demanda.

— Voulez-vous accepter une petite opération.

Je lui répondis que les opérations ne pouvaient

pas être pratiquées sur des détenues politiques sans leur acceptation. Trommel sortit et revint avec deux SS qui me jetèrent sur un lit et me mirent un morceau d'étoffe dans la bouche parce que je hurlais. Ils me cramponnaient les pieds et les mains. Pendant l'injection, j'entendis vaguement Trommel dire :

— *Das is fertig.*

Lorsque Vladislawa reprend connaissance sa jambe est ligotée sur une attelle métallique. Un nouveau mois d'attente, une nouvelle opération.

— Je m'aperçus après que mes pieds étaient pleins de boue et n'avaient pas été lavés avant l'opération.

⁂

Visage lisse, cheveux noirs, mains longues et fines, Maria Broel-Plater était à Ravensbrück depuis près d'un an. Chef de messagers dans la résistance polonaise, elle avait été arrêtée et torturée par la Gestapo.

— Je suis un peu dure d'oreille. Les coups reçus sur la tête. Le 18 novembre 1942, le docteur Oberheuser nous fait déshabiller, nous examine, nous envoie à la radio puis on me met au lit.

Maria s'endort et ne reprend connaissance qu'après l'opération :

— Oberheuser me giflait; ma jambe droite était insensible. Pendant la nuit j'eus une fièvre élevée et ma jambe gonfla depuis les orteils jusqu'à la hanche. On m'amena à nouveau à la salle d'opération et quand je me réveillai ma jambe avait un pansement des orteils au genou. Elle était très douloureuse et du sang en sortait. Pendant la nuit nous étions seules, sans personne pour vous donner de l'eau ou passer le bassin.

Au mois de janvier, bien que sa blessure ne soit pas guérie, elle doit reprendre le travail. Elle peut rencontrer ses camarades opérées :

— Je vis dans leurs blessures des morceaux de bois, de verre et même des fragments d'aiguille.

Maria Kusmierczuck se souvient qu'au beau milieu de l'opération, sous anesthésie locale, elle vit, horrifiée, le professeur Gebhart brandir un marteau et s'acharner sur les os de sa jambe mis à nu.

Ces récits auraient suffi à faire condamner à mort Gebhart et ses assistants. Le tribunal de Nuremberg entendit longuement un témoin à charge que les expérimentateurs tassés dans le box, durent regretter de ne pas avoir fait disparaître.

Sofia Magzka était polonaise comme les « petits lapins » de Ravensbrück; mais docteur en médecine, elle pouvait être utile à l'hôpital. Elle devint infirmière et interprète. D'une voix sans haine elle déclara :

— Il y eut soixante-quatorze jeunes filles polonaises opérées, sans compter un témoin de Jéhovah, une allemande et une ukrainienne. Cinq moururent des expériences : Veronica Kraska du tétanos... On ne lui fit pas de sérum antitétanique mais on lui donna des sulfamides. C'était là l'expérience. Les quatre autres qui moururent étaient : Sofia Kiecol, Aniela Lefanowicz, Alfreda Pruss et Kazimiera Kurawsky. Cette dernière fut à mon avis infectée avec de la gangrène gazeuse. C'était une fille bien portante, de vingt-trois ans. La maladie progressa lentement. La jambe de l'opérée devint chaque jour plus noire et plus gonflée. Ils ne prirent soin d'elle que pendant les premiers jours. Par la suite, elle fut placée dans la chambre quatre où elle resta à souffrir d'une façon incroyable et où elle mourut sans aide médicale. J'ai pu l'observer personnellement. L'amputation de la jambe l'aurait sauvée, l'infection pouvait être contrôlée. Ils ne voulaient pas l'opérer pour ne pas la sauver.

Sofia Magzka espérait qu'un jour, peut-être, elle aurait à témoigner. Elle avait tenu un véritable cahier de ses observations.

— D'après mes clichés radiographiques, treize personnes subirent des opérations sur les os : fractures, greffes avec ablation d'os. Certaines des jeunes filles furent opérées plusieurs fois. Par négligence et manque d'asepsie, deux sujets présentèrent une ostéomyélite [1].

— Krystyna Dabska m'avait été envoyée à la radio-

1. Inflammation de l'os et en particulier de la moelle osseuse.

graphie. Opérée aux deux jambes, des fragments du péroné de quatre à cinq centimètres de long avaient été prélevés. D'un côté le périoste [1] subsistait, de l'autre non. Je demandai à Oberheuser comment elle voulait obtenir une régénération de l'os sans périoste. Elle répondit :

— C'est justement ce que nous cherchons.

Expérience inutile car n'importe quel étudiant apprend au début de ses études que l'os ne régénère pas sans périoste.

Il y eut également des opérations d'un genre assez particulier. L'assistant de Gebhart amputa dix débiles mentaux.

— Je connais personnellement deux cas, affirma Sofia Magzka devant les juges du Procès des Médecins; amputation d'une jambe : les infirmières amenèrent la femme à la salle d'opération puis à la pièce spéciale où on mettait les morts. Je me rendis dans cette salle avec une autre camarade qui travaillait à l'hôpital. Il y avait un cadavre recouvert d'un drap et il lui manquait une jambe. Un peu plus tard, les infirmières vinrent et sans l'aide des prisonniers, mirent le cadavre dans un cercueil, pour garder le secret [2].

— Le deuxième cas était celui d'une femme anormale. Ce jour-là le docteur Fischer se rendit dans la salle d'opération, puis il remonta en voiture. Une infirmière portait un paquet entouré de linges, de la

1. Membrane fibreuse qui recouvre les os.
2. Les déportés n'avaient pas l'habitude de voir des cercueils dans les camps de concentration.

dimension d'un bras. Fischer le prit lui-même et partit. La prisonnière Quernheim vint me trouver et me dit :

« Savez-vous ce qui est arrivé aujourd'hui? Eh bien on a enlevé le bras tout entier avec l'omoplate, à une déportée.

Pourquoi cette mutilation? Quoi de plus facile en vérité que de puiser dans ce gigantesque réservoir de pièces détachées que constituait un camp d'extermination. Si le mystère de la jambe amputée et emportée discrètement reste entier, le tribunal a reconstitué « l'affaire de l'omoplate ».

Au cours de l'hiver 1942, Himmler visita pour Noël l'hôpital de son ami Gebhart; sans flons-flons ni guirlandes. Evidemment comme le dit Gebhart :

— Il ne fut pas satisfait des résultats des sulfamides.

Himmler reconnut une infirmière Luisa dont le coude avait été complètement emporté.

— Nous devons lui greffer une articulation minauda Stumpfegger, un des médecins qui accompagnait Himmler.

Ecoutons Gebhart :

— J'avais été incapable de remplacer cette articulation. Mais Himmler et Stumpfegger souhaitaient que l'opération fût tentée. A Hohenlychen, j'avais un malade civil nommé Ladisch dont l'omoplate était rongée par le cancer.

Gebhart alors marchande. Il persuade Stumpfegger désireux à tout prix de tenter une greffe, d'abandonner la charmante Luisa qui malgré la protection d'Himmler n'a aucune chance de plier à nouveau le coude et de s'attaquer à l'épaule de son client payant, l'étudiant Ladisch.

Le docteur Fritz Fischer est chargé « d'aller » chercher l'omoplate...

— Je montai en voiture et me rendis à Ravensbrück où les médecins du camp avaient déjà préparé l'opération. J'enlevai l'omoplate avec mes propres instruments.

Fischer arrête l'hémorragie, abandonne le champ opératoire aux médecins du camp, place l'omoplate dans un récipient stérile maintenu à 38° et retourne à l'hôpital de Gebhart.

Gebhart devait affirmer au procès de Nuremberg :

— Le bras fut sauvé, l'omoplate greffée cicatrisa et jusqu'en 1945 le cancer ne réapparut point.

Et comme pour s'excuser...

— L'omoplate n'est pas une articulation indispensable; c'est pour cela que j'ai choisi cette opération plutôt que de laisser Stumpfegger enlever une articulation plus grande.

Le Président lui demanda s'il avait connaissance d'autres amputations, Gebhart répondit :

— Monsieur le Président, croyez-moi, je ne me suis jamais inquiété des conditions des camps de concentration et Fischer non plus [1].

---

1. *Ich habe mich, Herr Prasident Dürfen mir glauben, überhaupt nie eingelossen in die verhälnisne der Konzentrations-lagers und aud Fischer nicht.*

Le Président :

— Je comprends.

Dans son inconscience Gebhart disait vrai. Fischer comme lui, ne se souciait guère de ce qui arrivait « après ».

Peut-être Gebhart et Stumpfegger auraient-ils recommencé une greffe en 1945 s'ils avaient été appelés au chevet de leur ami Fischer. Fischer, blessé en Normandie, fut amputé à son tour du membre supérieur droit.

En le voyant ainsi, manche vide dans le box des accusés, une des témoins ne put s'empêcher de murmurer :

— Un début de justice. Un début seulement.

Pour Gebhart, le seul fautif ne pouvait être qu'Himmler.

— Je n'étais pas assis auprès d'Himmler comme un gros bourdon. Je ne lui ai pas suggéré la façon de tuer des milliers de gens au cours d'expériences inutiles. Himmler avait une méthode de travail très simple, sans considération pour son caractère honnête ou cruel. Dans tous les domaines où la littérature existante montrait qu'une certaine expérience avait été accumulée, il estimait qu'on devait découvrir quelque chose et il donnait immédiatement l'ordre à une ou deux personnes d'effectuer le travail.

Bien entendu, il ne s'occupait pas seulement de

médecine. Il s'occupait aussi de porcelaine et d'or. Il intervenait dans les régimes et les SS étaient la seule unité à recevoir du porridge à leur petit déjeuner. Certaines expériences étaient terribles; tout d'un coup, toutes les divisions du front durent boire seulement de l'eau. Il existait une certaine résistance, mais il réalisa de bonnes choses : nourriture concentrée et vitaminée par exemple, vêtements camouflés, fourrures pour les campagnes d'hiver [1], voitures amphibies. Nous avions l'impression que s'il ne s'était pas lancé dans toutes les expériences, et s'il s'était borné à construire des voitures amphibies, nous aurions certainement débarqué en Angleterre. Il exténuait son entourage. En temps de paix il utilisait déjà de vraies balles pour les troupes en manœuvres et les SS avaient des morts. Tout ceci est caractéristique de cet homme et ne peut être réglé par une simple objection. Il nous disait souvent : « Je sais que vous, médecins, vous êtes opposés à ce vieux procédé qui a été perdu [2] mais je désire maintenant l'employer malgré toutes vos objections. » On ne peut pas dire en parlant de sa personnalité que tout ce qu'il faisait n'avait pas de sens. D'autre part, bien entendu en ce qui concerne les hommes, toute erreur provoque une catastrophe, et c'est ce qui nous a mis dans la situation actuelle.

***

1. Hitler persuadé que la campagne de Russie serait terminée avant l'hiver avait refusé de doter les combattants de tenues chaudes.
2. Les expériences humaines.

Si Gebhart fut condamné à mort et exécuté [1], Fischer emprisonné à vie, la « douce » Herta Oberheuser consultait dans une clinique privée dès 1956. Condamnée à vingt ans d'emprisonnement, elle avait bénéficié d'une remise de peine. Sur intervention d'associations de déportés elle sera rayée de l'ordre des Médecins.

Elle serait employée aujourd'hui... dans un laboratoire.

1. Il demanda le baptême.

VII

LES JUMEAUX DE MENGELE

Il pleuvait. Peut-être, ce soir-là, a-t-il senti peser sur lui le doute, la peur. Il est apparu dans l'enceinte des fours crématoires en traînant la jambe, pâle, les yeux fixes, lèvres serrées. Que lui arrivait-il à ce « Maître avant Dieu » du destin de millions d'hommes? Que lui arrivait-il à ce génial docteur?

Joseph Mengele, Obersturmführer, médecin-chef du camp d'extermination d'Auschwitz ne serait-il qu'un homme comme le numéro A. 8450, ce petit médecin légiste hongrois à qui il vient réclamer un rapport d'autopsie.

— Herr Obersturmführer, permettez-moi de porter votre manteau et votre képi dans la salle du four, dans cinq minutes ils seront secs.

— Laissez cela, l'eau n'ira jamais que jusqu'à ma peau.

Miklos Nyiszli présente le rapport à Mengele. Il parcourt les premières lignes...

— Je suis très fatigué, lisez vous-même.

Le déporté reprend le paragraphe du procès-verbal.

— Laissez, ce n'est pas nécessaire.

Alors Miklos Nyiszli, stupéfait de son courage, s'entend demander :

— Herr Obersturmführer, jusqu'à quand ces anéantissements vont-ils durer?

— Mon ami, répond Mengele, ce sera toujours comme ça, toujours comme ça.

Il attrape sa serviette et sort du laboratoire.

— Dans les jours à venir vous aurez du travail intéressant.

Cette scène extraite du journal de Miklos Nyiszli [1] se termine par cette réflexion :

— Le travail intéressant représente la mort d'un nouveau groupe de jumeaux.

Mengele veut et doit percer le secret de la gemellité; pour se distraire, il glanera quelques observations sur les géants, les nains, les bossus et les autres spécimens dégénérés de la race juive. L'Allemagne victorieuse extermine les races inférieures; elle va instal-

1. Médecin à Auschwitz, un document essentiel sur la déportation. Editions Julliard 1962.

ler ses pionniers dans les vergers déserts de l'Europe centrale. Le Reich ne cesse de rabâcher à ses mères patriotes : « Donnez-nous des enfants, des purs chevaliers blonds. Qu'importe d'ailleurs s'ils n'ont pas de père, Hitler et Himmler les adopteront; croissez et multipliez-vous... » Alors, dans le cerveau tourmenté d'un médecin inconnu de l'Institut de Recherche Dahlem [1] se développe un projet insensé : il faut absolument que les mères aryennes donnent naissance à des jumeaux. Quel triomphe pour la Race! Cela Mengele le comprend. Le détenteur de ce secret deviendra le sauveur de l'Empire de Mille ans. Que de temps gagné aussi... Le grignotement et l'occupation des territoires vierges iront deux fois plus vite puisque, dans le même temps, deux fois plus d'enfants verront le jour. Et déjà sur le papier, le rêve prend réalité : un statisticien de l'Ahnenerbe écrit à l'un de ses amis :

— Les grossesses moyennes ramenées à cent trente-cinq jours...

Eh oui bien sûr! Neuf mois divisés par deux! Dieu lui-même n'y aurait pas songé.

Mengele se précipite dans son « grand œuvre ». Il n'a pas à se poser la question :

— Comment trouver ces jumeaux?

1. Berlin-Dahlem, Institut Für Rassenbiologische und Anthropologische Forschungen; le centre où Mengele adressait ses rapports d'observation.

La rampe de sélection qu'il dirige déverse son torrent ininterrompu de chairs et de muscles.

— A droite.

Un coup de stick sur la botte.

— A gauche.

Un coup de stick sur la botte.

— Vous les jumeaux ici, près de moi.

Un coup de stick sur la botte.

Droite, stick, gauche...

A droite les chairs pour le crématoire. A gauche les muscles pour les commandos de travail. Il fallait le voir se tenant debout, souriant, affable, détendu, la main droite dans le dolman de son uniforme, dans un geste « à la Napoléon ». Il se disait d'ailleurs descendant du prince Rodolphe d'Autriche.

« Il sifflait [1] un air de la *Tosca* et cet air signifiait la mort pour des centaines ou des milliers de déportés. Mengele sifflait toujours la *Tosca* quand il était de bonne humeur, quand il avait de grandes sélections à faire. »

Le dernier coup de stick claquait sur la botte. Autour de lui, hébétées, craintives, les « bêtes curieuses », étranges ou difformes du « cirque Mengele » comme appelaient ces groupes les autres SS.

Les jumeaux comprennent, dès leur arrivée au camp, cet intérêt que leur porte le médecin-juge. Depuis qu'ils sont nés, des dizaines de médecins les ont auscultés, étudiés. Une chance nouvelle de sollicitude

1. Témoignage Hans Arnoldson. *Natt och dimma.* Stockholm 1946.

leur est accordée. Les plus jeunes sont abandonnés par leur mère : elles aussi savent que la science est friande des anomalies.

Les chairs et les muscles s'en vont vers leurs destins, les jumeaux vers la gloire de Mengele. La première étape est coquette, chaude, accueillante. Un presque paradis au cœur de l'enfer : la baraque 14 du camp F. Du bouillon, de la viande, des pommes de terre, un bouquet de fleurs, des vêtements civils neufs, un coiffeur en blouse blanche, le peigne d'écaille en pochette. Et des sourires. J'oubliais des toilettes avec du papier hygiénique. Ils attendent. Couple après couple, jour après jour ils disparaissent dans le camp des tziganes. Déjà le purgatoire avec sa cohorte d'observations scientifiques humiliantes et douloureuses : de la toise aux photos anthropométriques, en passant par les ponctions, prises de sang avec échange de frère à frère, dosages, examens, séances de pose devant le chevalet et les fusains de Dina une déportée qui, en d'autres temps, exposait ses toiles dans les galeries de Prague.

Mais ces longues constitutions de dossiers ne peuvent apporter aucune découverte capitale. Des milliers de médecins en ont établi d'identiques avant la guerre. La guerre est une chance pour la recherche. Les plus hautes autorités du pays « couvrent » les débordements des expérimentateurs. Alors, il faut avancer en terrain inconnu. Jamais un chercheur n'a eu, sous son scalpel, les deux mêmes corps étrangement semblables; un cadavre et son ombre. Bien sûr des jumeaux écorchés ont été déjà observés mais l'un après l'autre, à la seconde de leur mort, parfois à des années d'intervalle.

— Il arrive [1] ici une chose unique dans l'histoire des sciences médicales du monde entier. Deux frères jumeaux meurent ensemble et en même temps et on a la possibilité de les soumettre à l'autopsie.

Ils meurent parce que Mengele les tue.

— La victime est installée dans un fauteuil de dentiste; deux prisonniers lui tiennent les mains pendant qu'un troisième lui bande les yeux et lui immobilise la tête. Alors le docteur s'approche et lui enfonce une aiguille dans la poitrine. Le malheureux ne meurt pas sur le coup, mais tout devient noir devant ses yeux. Les autres détenus qui ont assisté à la piqûre emmènent la victime, à demi-inconsciente, dans une pièce voisine et la laissent sur le sol; elle succombe en moins d'une demi-minute [2].

Son scalpel, Mengele l'a découvert sur la rampe de sélection d'Auschwitz.

— Les médecins, sortez des rangs.

Et cinquante médecins se sont avancés.

— Je recherche un médecin qui a fait ses études dans une université allemande, qui connaît parfaitement l'anatomie pathologique et la médecine légale...

---

1. Miklos Nyiszli, ouvrage cité.
2. Crimes allemands en Pologne, volume I.

Un silence, une hésitation, et puis :

— Faites bien attention car il faut être à la hauteur de la tâche, sans cela!

Miklos Nyiszli interprète très bien la traduction du « sans cela » de Mengele. Il sort des rangs.

J'imagine facilement les regards échangés entre les deux hommes. Un contrat vers l'inconnu signé par un pas, un tremblement de la paupière, une décision qui prolonge la vie du médecin juif.

— Vous savez, dit Mengele en le faisant monter dans sa voiture, ce n'est pas un sanatorium où je vous emmène mais vous vivrez dans des conditions pas trop mauvaises.

La porte blindée qui ferme l'enceinte des crématoires s'est entrouverte. Ici ne pénètrent que les condamnés à mort. Chacun le sait. Les « Sonder Kommando », ces morts vivants ont une existence moyenne de cent jours. Ils sont la hache et le bûcher. Ils préparent les douches; lorsque les petits cristaux bleutés de Cyclon B ont développé leur nuage dans les canalisations et que le gaz a rongé le dernier souffle de vie, ils nettoient au jet cette pyramide de cadavres; les chauffeurs n'ont plus qu'à charger les gueules béantes des fours, la cheminée à cracher ses volutes goudronnées, le camp à oublier qu'une vague nouvelle s'est dispersée dans le ciel. Alors, et alors seulement, le Sonder Kommando peut se rouler dans le luxe et l'alcool. Les chambrées ont des airs de Trianons. Débauche de soies et de porcelaines, de mets choisis de lectures interdites... Pour oublier la fin des autres, pour oublier leur propre fin marquée d'une croix noire sur le calendrier du chef de camp. On liquide les fossoyeurs pour qu'ils ne parlent pas; même les SS gardiens n'échapperont pas à la conspiration du silence. Qu'importe si ces fantômes se pavanent ou se parent des dépouilles de leurs victimes, ils n'ont jamais existé. Et aujourd'hui dans sa chambre de vivisection, Miklos Nyiszli est leur frère avant de devenir la main de Mengele.

— Vous avez un chargement à la porte des crématoires.

Le travail « intéressant » promis par Mengele! le SS accompagnateur du Kommando de transport, tend les dossiers médicaux. Nyiszli soulève le drap de la civière. Deux petits corps crispés, peau satinée. Ils ont deux ans. Tout à l'heure, le médecin découvrira, avec horreur, dans son laboratoire, l'origine de la mort.

— Ils ont reçu une piqûre de chloroforme dans le cœur afin que le sang, en se coagulant, se dépose sur les valves et amène instantanément la mort par arrêt du cœur.

— Vous avez un chargement à la porte des crématoires.

A nouveau des enfants. Quatre paires. Les plus âgés n'ont pas encore dix ans.

Scier, ouvrir, peser, analyser et en fin de compte

placer les organes « profitables à la découverte du secret » dans des bocaux d'alcool. Ces dossiers de verre et toutes les observations sont empaquetés avec soin et adressés à l'Institut Dahlem. Entre les ficelles croisées et les doubles étiquettes, un gros tampon s'écrase : « Urgent. Matériel de guerre. »

— Vous avez un chargement à la porte des crématoires.

Des jumeaux, des nains, des géants. Mengele assiste à la fin des travaux.

— Nous feuilletions [1] les dossiers déjà établis sur les jumeaux, lorsque sur la couverture bleue d'un dossier, il aperçoit une pâle tache de graisse. Au cours de la dissection, je manipule souvent les dossiers et c'est ainsi que j'ai pu le tacher. Le docteur Mengele me jeta un regard réprobateur et me dit avec le plus grand sérieux : « Comment pouvez-vous agir d'une façon aussi insouciante avec ces dossiers que j'ai recueillis avec tant d'amour ! » C'est le mot « amour » qui vient de quitter les lèvres du docteur Mengele. Je suis tellement ébahi que je n'ai pu prononcer une phrase pour lui répondre.

*
**

Oui, Mengele a de l'amour pour ces recherches insensées qui n'aboutiront jamais. Beaucoup de ses confrères expérimentateurs, s'inventent des travaux,

1. Médecin à Auschwitz, ouvrage cité.

développent des services inexistants dans le seul but d'échapper au front et à la mort. Mengele n'a pas besoin de se montrer indispensable : il l'est. Nul mieux que lui ne saurait diriger la rampe de sélection. Lorsqu'il est absent... c'est presque le chaos. Avec amour aussi, il sait choisir ceux qui peuvent parfaitement illustrer les théories racistes du Reich. Les Juifs sont inférieurs, dégénérés; les effacer de la planète rend service aux survivants. Un jour, le camp liquidait les derniers revenants du Ghetto de Litzmannstadt. Mengele au comble de l'excitation découvre dans les rangs des déportés un père et son fils. Le père est bossu, le fils a un pied-bot. Mengele griffonne une note pour Miklos Nyiszli.

— Examiner du point de vue clinique ces deux hommes. Faire des mensurations précises sur le père et le fils. Etablir les dossiers cliniques renfermant toutes données intéressantes et plus particulièrement celles relatives aux causes qui ont provoqué les défectuosités corporelles.

Ils sont là tous deux, au terme de leurs souffrances confiants encore dans la mansuétude de leurs semblables. Nyiszli est au bord de la dépression. Peut-il supporter cette épreuve criminelle si peu scientifique? Il s'est juré d'échapper au crématoire pour porter témoignage et son renoncement ne sauverait personne.

Le père possédait une importante affaire de tissus. Il a consulté avec son fils les plus grands médecins d'Autriche, et même d'Allemagne.

Des Sonder Kommandos leur présentent un sauté

de bœuf aux macaronis. Ils se détendent. Puis la « corvée » de Mengele avec, à la tête des exécuteurs, l'Oberschaarführer Mussfeld, franchit le hall des laboratoires. Ils sont abattus, tous deux, dans la salle des fours.

Le soir Mengele réclame les dossiers...

— Ces corps ne doivent pas être incinérés, il faut les préparer et leurs squelettes seront expédiés à Berlin, au Musée anthropologique. Quels systèmes connaissez-vous pour le nettoyage parfait des squelettes?

Miklos Nyiszli développe deux méthodes principales : le bain de chlorure de chaux (au bout de deux semaines, les chairs ont disparu), la cuisson. Mengele tranche :

— La plus rapide, la cuisson!

Après cinq heures de feu ronflant, sous deux énormes fûts métalliques, le foyer est noyé. Des ouvriers polonais réparent, tout à côté, l'une des cheminées du crématoire, ils sont attirés par ces marmites géantes. Leur faim est trop atroce... Oui c'est bien de la viande cuite...

Un assistant du laboratoire secoue Miklos Nyiszli.

— Docteur, docteur, les polonais sont en train de manger la viande des barriques!

Le docteur Hirsch [1] savait qu'il allait mourir. Le typhus ne lui laisserait que quelques jours de répit.

1. Médecin français. Témoignage recueilli en février 1967.

D'autres déportés le chargent dans le camion... et puis soudain il s'évanouit. Il se réveille à l'infirmerie. Par quel miracle?

— Des médecins déportés m'ont récupéré. Mengele cherchait un radiologue parlant allemand. Sans médicaments, par un autre miracle, j'ai pu me remettre rapidement.

Hirsch devait interpréter pour Mengele les radios des jumeaux prises dans le camp des femmes. Un jour, deux paires de jeunes enfants sont amenées à la « station ». Les deux plus jeunes ont cinq ans, les deux autres sept ans. Tous les quatre présentent des rougeurs autour des articulations. Les médecins déportés écoutent Mengele.

— On voit bien que ce sont là des tuberculeux.

Les médecins ont diagnostiqué de suite : « Erythème noueux [1] » Mengele s'énerve, tape du pied.

— C'est du sabotage. Ce sont les signes de la tuberculose.

Si la situation n'était pas aussi grave, le docteur Hirsch éclaterait de rire devant cette preuve de l'incompétence de son « maître ».

— Et vous le radiologue? Vous n'avez rien trouvé?

— Non.

— Montrez les radios?

— Rien! Mais si vous voulez que je marque sur

1. Congestion cutanée qui, dans la forme la plus courante donne lieu à des rougeurs qui disparaissent sous la pression du doigt pour reparaître ensuite. L'urticaire est un érythème, une piqûre d'ortie aussi.

les fiches « tuberculeux », je vais marquer.

Mengele se tourne vers les jeunes enfants.

— Venez avec moi.

Le docteur Hirsch voit les enfants monter dans la voiture de Mengele. La voiture au lieu de prendre la droite, vers le camp, tourne à gauche et s'engage sur le chemin du crématoire.

Miklos Nyiszli disséquera les corps sous les yeux de Mengele. Quatre meurtres pour prouver qu'il n'était pas possible qu'il se trompe.

Lorsqu'il revint vers les médecins déportés qui l'attendaient, il dit simplement :

— Oui. Ça va pour cette fois. Mais si je découvre un sabotage, le moindre sabotage, c'est vous qui prendrez la route du crématoire.

... Mai 1965. Saint-Domingue est en révolution. Je suis enfermé dans le camp retranché du colonel Caamano. Dans moins d'une heure les Américains boucleront les deux rues parallèles au front de mer, et pour une nuit encore le Fort Chabrol des Constitutionnalistes connaîtra le silence d'un siège sans surprise. Les forces de droite respectent la trêve du sommeil. Se tuer d'accord... mais jamais en dehors des heures de service. Soudain, le bloc d'immeubles s'embrase, une pétarade de la Saint-Jean couvre la voix d'un révolutionnaire en armes. Je cours vers lui.

— Ça vient de la caserne.

Je le reconnais, il est Haïtien. Membre du commando Rivière, je l'ai rencontré plusieurs fois dans la cité interdite de Saint-Domingue.

— Abritez-vous là; ils arrosent la place. Ici nous ne risquons rien.

Et nous bavardons. Il espère le triomphe de la révolution car il pourra garder ses armes et avec d'autres Haïtiens renverser l'empereur Duvalier, confit dans ses rides et ses tontons macoutes. Il est exilé depuis un an :

— J'ai fait tous les métiers, même journaliste.

Je souris.

— Oui. Pour un Brésilien. Il était sur la piste d'un médecin allemand : Mengele.

Je dois avouer que je n'ai guère écouté le Haïtien. Le claquement des balles et des mortiers étouffait en moi toute curiosité. Combien je le regrette aujourd'hui. De son long monologue je ne me souviens que de ceci :

— Le journaliste brésilien cherchait à joindre un homme de cinquante-cinq à soixante ans, un mètre soixante-quinze, se faisant appeler José Mengele. Son contact et protecteur à Saint-Domingue était un employé de l' « Institutos de Formacion Integral ».

— Le Haïtien devait retrouver sa trace dans les colonies d'exilés.

— Au bout de trois jours, le Brésilien avait arrêté son enquête. Mengele était reparti pour le Paraguay.

***

Je n'ai jamais lancé de chasse journalistique aux sorciers blancs nazis. Trop de « faiseurs de sensationnel » cultivent le mystère autour de la mort d'Hitler ou de Bormann par exemple. Mengele est vivant; ou plutôt il était vivant le 30 octobre 1959 lorsque les services de police d'Asuncion, capitale du Paraguay, lui établirent une carte d'identité numéro 28 240 et un certificat de bonne vie et de bonnes mœurs. Au moins dix journalistes sud-américains ont eu entre leurs mains ces pièces.

L'enquête la plus méticuleuse a été menée par Victor Ribeiro, envoyé spécial du *Jornal Do Brasil.* Le reporter fouilla les registres de l'Immigration et il trouva sous l'œil étonné du directeur de la Réforme Agraire [1] l'inscription suivante [2] :

— José Mengele passeport allemand numéro 3 415 574.

— Date d'arrivée : 2 octobre 1958.

— Venant de Buenos Aires.

— Séjourne : Hôtel Colonial.

Mais ce n'est pas tout. Ribeiro eut accès aux fichiers de la préfecture de police. Il découvrit plusieurs interrogatoires. Mengele avait transformé son prénom en José plus paraguayen que Joseph. Il était né le 16 mars 1911 à Günzburg (Bavière), marié à Martha Maria Weil. Ancien capitaine, médecin, actuellement

1. Au Paraguay c'est le ministère de l'Agriculture qui est chargé des dossiers d'immigration (!)

2. Registre général des Touristes. Lettre M. Inscription 3098.

commerçant; religion catholique. La fiche signalétique porte ces détails : taille 1,74 m, cheveux châtains grisonnants; yeux marron clair; sourcils arqués; bouche moyenne; empreinte digitale : V 1344 V 4444. Signes particuliers : néant.

Si ces documents n'ont pas quitté les services officiels du Paraguay où l'on peut aujourd'hui les consulter, la trace de Mengele se perd à Asuncion. Ma découverte dominicaine n'est pas assez solide pour être retenue. Où se cache le génial docteur? Est-il mort? Paiera-t-il ses crimes?

Autant de questions sans réponses. Mais en Amérique du Sud, inlassablement, des hommes d'un commando identique à celui qui enleva Eichmann, suivent la trace de ce retraité paisible qui sifflait à merveille, autrefois, la *Tosca;* l'un des derniers « grands criminels » de la seconde guerre mondiale : le numéro 5 sur la liste du Centre de documentation de Simon Wiesenthal. Le numéro 1 était Eichmann, le « centre » le retrouva et le fit juger; le numéro 2 est Bormann; le numéro 3 est Muller, l'un des chefs de la Gestapo. Le numéro 4 : Franz Stangl ancien commandant du camp d'extermination de Treblinka se cachait au Brésil sous le nom de Stengler. Employé modèle du service d'entretien de l'usine Wolkswagen de Sao Bernado do Campo il retrouvait, chaque soir, dans une maison à terrasse fleurie, sa femme Thérèse et leurs trois filles. Les services de Wiesenthal le repérèrent en 1964. Pendant plus de deux ans ils accumulèrent les preuves et enfin, au mois de mars 1967 ils déposèrent leur dossier sur le bureau du gouverneur de Brasilia. Tout se passa très vite : les policiers l'arrêtèrent à la sortie de l'usine; le soir même, le gouvernement autrichien réclamait son extradition. Stangl est âgé de soixante ans. Cet ancien agent de police apportera sans doute des précisions sur les « crimes médicaux nazis. Avant de diriger la machine à tuer de Treblinka, il avait surveillé pour le compte des SS dans plusieurs asiles d'aliénés, l'opération Euthanasie. Le Reicht récupérait des lits d'hôpitaux mobilisés par des incurables et pouvait les offrir à ses soldats.

Simon Wiesenthal a remplacé sur son bureau la photo de Stangl par celle de Mengele. Wiesenthal a l'habitude de dire :

— Je ne suis pas pressé [1].

1. Le 25 mars 1965, le Bundestag adoptait une loi reportant l'échéance du délai de prescription au 1er janvier 1970. Au mois d'avril, le Conseil des Etats l'adoptait à son tour (une seule abstention : la Sarre). Les Alliés disposaient en 1945 d'une liste de criminels de guerre portant près d'un million de noms... Aujourd'hui 60 000 ont été jugés... et beaucoup acquittés (un tiers pour la République fédérale).

VIII

LES COLLECTIONNEURS

Leclerc s'est avancé vers les officiers de son état-major :

— Nous recommençons le plan « Libération de Paris ». Une colonne sur chaque route. Tout ça le plus vite possible. Les prisonniers seront désarmés et expédiés vers l'Ouest. Pas d'accrochage important. Nous contournerons les points de résistance... Pour tout le monde, rendez-vous au pont de Kehl.

La marche sur Strasbourg, débute ce matin du 23 novembre, à sept heures trois minutes. Deux heures plus tard, la colonne Rouvillois traverse la ville, le pied au plancher. La stupéfaction èst générale. La garnison allemande n'était même pas en état d'alerte. Des officiers déchargent leur revolver sur les blindés de la 2e D.B., d'autres ne songent qu'à la fuite et troquent leur uniforme contre le costume civil qu'ils gardaient « pieusement » caché depuis plusieurs semaines. Le professeur d'université August Hirt est certainement l'un des premiers à disparaître. N'avait-il pas répété plusieurs fois à ses assistants :

— Ils ne m'auront jamais vivant.

*
**

Hirt est un vieux Strasbourgeois... Il a débarqué à l'Institut d'Anatomie, avec armes et scalpels, dans les premiers jours de 1941. Il est SS et membre influent de la Société Ahnenerbe. C'est dire que toutes les portes s'ouvrent à deux battants devant le moindre de ses souhaits. A côté de ses recherches traditionnelles sur le système nerveux sympathique et les tissus vivants, Hirt dès son installation veut faire de Strasbourg, université allemande (Reichsuniversität) mais surtout université SS, le grand centre mondial de documentation sur les problèmes des races inférieures... Un musée des sous-hommes où l'on accumulera les preuves de la dégénérescence, de l'animalité des Juifs. Un musée qu'il faut absolument équiper car, comme tous les Juifs disparaîtront sous peu de la planète, leur squelette sera plus rare et plus précieux que celui d'un diplodocus par exemple. Hirt soumet son idée à Himmler :

— Il existe d'importantes collections de crânes de presque toutes les races et peuples. Cependant, il n'existe que très peu de spécimens de crânes de la race juive permettant une étude et des conclusions précises. La guerre à l'Est nous fournit une occasion de remédier à cette absence. Nous pouvons obtenir des preuves scientifiques tangibles en nous procurant des crânes de commissaires juifs, bolchéviques, qui personnifient une humanité inférieure, répugnante mais caractéristique.

Et comment donc! Juif ce n'est pas mal; mais juif bolchévique... la crème des crèmes. Hirt semble s'excuser d'attacher tant d'importance à ces êtres répugnants. Il poursuit :

— Le meilleur moyen d'obtenir rapidement et sans trop de difficultés cette collection, serait de donner des instructions pour qu'à l'avenir la Wehrmacht remette vivants à la police du front, tous les commissaires bolchéviques juifs. La police les gardera jusqu'à l'arrivée d'un envoyé spécial (jeune médecin ou étudiant en médecine). Celui-ci, chargé de réunir le matériel, devra prendre une série de photographies et des relevés anthropologiques; il devra s'assurer autant que possible de l'origine de la date de naissance, etc. des prisonniers. Après la mort de ces Juifs dont on prendra bien soin de ne pas endommager la tête, il séparera la tête du tronc et nous l'adressera dans un liquide conservateur.

La lourde machine administrative SS se met en branle. Himmler est « prodigieusement intéressé » par l' « énorme » intérêt de la proposition de « son ami ». Sievers, l'éminence grise de la Société pour l'Héritage des Ancêtres rend visite à Hirt. Tous deux estiment qu'il serait beaucoup plus aisé de transporter les commissaires juifs bolchéviques vivants à Strasbourg. Ils pourraient être tués dans le camp de Natzweiler, proche de la ville. Tous les services « dans le secret » applaudissent cette simplification. Les commissaires seront gardés à Auschwitz; lorsque leur groupe atteindra cent cinquante ils seront dirigés sur Strasbourg.

Natzweiler était le seul camp d'extermination bâti sur le territoire français. Ses baraques s'étageaient à huit cents mètres d'altitude, dans un site grandiose, face au Donon. Plus tard il sera connu sous le nom de Struthof. Le maître des lieux, une brute bestiale : Josef Kramer [1].

— Pendant le mois d'août 1943, j'ai reçu du commandant suprême des SS à Berlin, l'ordre de réceptionner environ quatre-vingts détenus d'Auschwitz. Je devais prendre contact avec le professeur Hirt.

Hirt reçoit Kramer à l'Institut d'Anatomie et lui demande de gazer le convoi. Les corps lui seront amenés par petits groupes. Hirt a préparé dans une bouteille les cristaux nécessaires au « traitement » des commissaires.

— Je reçus les quatre-vingts détenus, un certain soir vers 9 heures. Je conduisis à la chambre à gaz une quinzaine de femmes. Je leur dis : « Vous allez à la désinfection. » Aidé de quelques SS je les déshabillai complètement et les poussai dans la cham-

1. Condamné à mort et exécuté. Archives de la 10e Région Militaire.

bre à gaz. Lorsque je fermai la porte elles commencèrent à hurler. Je plaçai une certaine quantité de sels [1] dans un entonnoir placé au-dessus de la fenêtre d'observation. J'observai par cette lucarne ce qui se passait à l'intérieur. Les femmes continuèrent à respirer pendant une demi-minute et tombèrent sur le plancher. Quand j'ouvris la porte après avoir fait fonctionner la ventilation, elles gisaient à terre, sans vie, pleines d'excréments. Je dis à des infirmiers SS de mettre ces corps sur une camionnette et de les transporter le matin suivant à 5 heures et demie, à l'Institut d'Anatomie.

Kramer traitera, dans les jours suivants, quatre nouveaux groupes. Seconde par seconde il suivra l'agonie de trente femmes et de cinquante-sept hommes.

— Je n'ai ressenti aucune émotion en accomplissant ces actes car j'avais reçu l'ordre d'exécuter ces quatre-vingts détenus de la façon que je vous ai exposée. De toute façon j'ai été élevé ainsi.

La camionnette de Natzweiler s'arrête devant l'Institut. Les deux préparateurs du professeur Hirt, Otto Bong et Henri Henrypierre, qui avaient, la veille, rempli des cuves d'alcool synthétique à 55°, aident

1. Hirt lui a expliqué longuement les dosages. On peut même se demander si la chambre à gaz n'a pas été construite pour cet événement scientifique.

le conducteur et deux SS à transporter les corps de ce premier convoi.

— Ils étaient encore chauds [1]. Les yeux étaient grands ouverts et brillants. Ils semblaient congestionnés et rouges. Ils sortaient de l'orbite. Il y avait des traces de sang au niveau du nez et de la bouche. Il n'y avait pas de rigidité cadavérique. J'estimai que ces victimes avaient été empoisonnées ou asphyxiées.

Henrypierre rencontre le lendemain Hirt dans les couloirs. Le professeur s'arrête et lance :

— Si tu ne tiens pas ta langue tu y passeras aussi.

Puis à nouveau la camionnette stoppa devant l'entrée de l'Institut. Hirt ne s'intéressera plus jamais à cette « collection ». Pendant plus d'un an, les préparateurs se contenteront d'ajouter, de temps à autre, de l'alcool dans les cuves. Devant l'avance des Alliés, l'Ahnenerbe qui a chargé Hirt de recherches urgentes sur les gaz de combat s'inquiète de la présence de ces commissaires compromettants. Le directeur de l'Ahnenerbe écrit au grand patron des médecins nazis, Rudolf Brandt :

— En raison du travail scientifique considérable nécessaire, la préparation des squelettes n'est pas encore terminée. Hirt demande ce qu'il faut faire de la collection au cas où Strasbourg serait en danger. Il peut les mettre à macérer et les rendre méconnaissables. Mais dans ce cas une partie de l'ensemble du travail aurait été faite en vain et ce serait une grande

1. Témoignage d'Henri Henrypierre devant le tribunal de Nuremberg.

perte scientifique pour cette collection unique car les moulages ne seraient plus possibles. La collection, telle qu'elle existe actuellement, n'attire pas l'attention. On pourrait dire qu'il s'agit des restes des cadavres pris à l'Institut d'Anatomie où les Français les avaient laissés et on les brûlerait.

Le professeur Hirt ordonne à ses assistants de laboratoire de découper les cadavres et de les faire brûler au four crématoire de la ville. Mais les hommes de Leclerc arrivèrent plus vite que ne le souhaitait Hirt. Il restait encore les corps d'une quinzaine de commissaires dans le fond des cuves.

Dans la perspective de l'ouverture du « musée des sous-hommes », dont rêvait Hirt depuis le début de la guerre et que les tracasseries administratives et ses expériences sur les gaz de combat retardaient sans cesse, l'Ahnenerbe avait demandé à tous ses fidèles en poste dans les camps de concentration de mettre de côté les pièces anatomiques « particulièrement intéressantes et démonstratives ». Les bocaux s'entassaient dans les caves de l'Ahnenerbe.

A Oraniemburg-Sachsenhausen, le médecin SS Baumkötter voulait prouver que les êtres inférieurs avaient un pénis... inférieur. Le scalpel dans une main, le flacon de formol dans l'autre, il parcourait les couloirs de la morgue (en permanence un millier de cadavres) et découpait « la pièce » dont il estimait la conservation nécessaire. Mais il alla plus loin. On le vit suivre avec passion les visites médicales des infirmeries. Edouard Calic qui avait découvert ce « violon d'Ingres » de Baumkötter écrit dans son livre *Himmler et son Empire* :

« Maintenant, je m'explique pourquoi lorsque l'on se fait porter malade, les médecins SS commencent par ordonner qu'on laisse tomber son pantalon et qu'ensuite du bout de leurs chaussures, ils relèvent nos chemises. D'abord pour repérer les Juifs mais aussi pour découvrir des anomalies ou des monstruosités particulières. Le déporté politique Walter Claux, matricule numéro 40 603 a même confirmé, par écrit, après la guerre, que Baumkötter s'arrêta devant le prisonnier Rudolf Schultze et lança aux médecins qui l'accompagnaient :

« Mes enfants, regardez ce morceau! Ce gars-là est monté comme un étalon! Sa verge a la forme d'un pied de cheval coupé. Ça! c'est quelque chose pour nous! »

Et Calic conclut :

« J'ignore si « la chose » a pris sa place parmi les flacons remplis de formol de l'armoire dans la cave secrète de Sachsenshausen, par contre, pendant mon séjour au camp j'ai pu constater moi-même que certains détenus d'un aspect physique extravagant, qu'on avait décidé, par l'appât de quelques cigarettes, à se porter volontaires pour expérimenter un médicament, ne reparaissaient plus.

Un livre ne suffirait pas à raconter les « extravagances criminelles » de la femme du commandant de Buchenwald, Ilse Koch. La « Kommandeuse » se faisait bâtir un manège d'équitation et comme elle était pressée de monter une pouliche que lui avaient offert « en participation » certains de ses amants et en particulier le docteur Hoven dont nous reparlerons dans le chapitre sur le typhus, une centaine de déportés s'épuisèrent jour et nuit à la construction de cet édifice de cent mètres de long. Trente d'entre eux périrent au pied des murs, des boiseries et des glaces du manège. Tous les matins la Kommandeuse chevauchait dix minutes. L'orphéon des SS accompagnait ses évolutions. Puis elle allait prendre un bain; bien souvent la baignoire était remplie de lait ou de madère et quelquefois elle confiait son corps aux mains expertes d'un masseur qui avait inventé pour elle un traitement à base de citrons d'Amérique du Sud. Mais l'ancienne dactylo d'une fabrique de cigarettes était passionnée par les tatouages et les infirmiers devaient lui signaler tous les déportés dont le corps s'ornait de portraits, d'inscriptions ou de « scènes artistiques ».

La Kommandeuse examinait le tatouage; si elle estimait qu'il devait figurer dans sa collection, confiait le déporté à son Kapo favori, Karl Beigs. Le bon Karl piquait alors le « tableau vivant ». Les déportés des services pathologiques prélevaient le tatouage, le tannaient et l'offraient à la Kommandeuse. Un médecin SS Muller, suggéra au jeune docteur Wagner de préparer une thèse sur les tatouages. Wagner sans chercher à savoir d'où provenaient les peaux se mit à l'ouvrage. Le « médecin-directeur » des camps, le colonel SS Lolling, encouragea ses travaux, lui demanda de prendre en considération le grain, l'épaisseur de la peau. Il réclamait souvent des spécimens pour « épater » ses amis. La Kommandeuse se fit préparer une « grande surface » pour équiper l'abat-jour du bureau de son mari. Le support était un fémur. Mme Koch eut trois paires de gants en peau tatouée... La collection devint industrie. On prépara des jacquettes de livres, des étuis de canif et de poudriers.

Les Américains en libérant le camp au mois d'avril 1945 découvrirent une autre collection : des têtes réduites à la manière Jivaro. Des têtes de la grosseur d'un poing avec moustaches et longue chevelure. Les deux plus « réussies » présentées sur socle d'ébène avaient appartenu à deux Polonais qui entretenaient des relations « dégradantes » avec des citoyennes allemandes. Les coupeurs de tête de Buchenwald réduisirent et naturalisèrent « à la perfection » plusieurs dizaines de « types différents ». Du vrai travail de sorcier d'Amazonie. La « recette » avait été communiquée par les spécialistes de l'Ahnenerbe à la demande du médecin-colonel SS Lolling.

IX

« *JE NE VEUX PLUS VOIR DE ROSES DANS LES CAMPS...* »

Le prince roumain Georgiu R... portait sur son corps plusieurs centaines de tatouages. Plus qu'un tableau, une grande exposition érotique.

— Chaque scène a été croquée sur place, dans tous les ports du vieux et du nouveau monde, j'ai relevé moi-même les dessins.

La Kommandeuse n'eut jamais connaissance de cette collection unique, le prince roumain était interné à Dachau sur ordre d'Himmler. Homosexuel, ses liaisons amoureuses dans les milieux nationaux-socialistes provoquèrent la colère du Reichführer. Himmler nous l'avons vu, avait voulu sauver les prostituées de leur déchéance, il s'attaqua, en même temps, aux déportés qui affichaient sur leur pyjama rayé le triangle rose de l'infamie. Il réunit les chefs de l'inspection des camps et leur déclara :

— Je ne veux plus voir de roses dans les camps.

Et il leur raconta l'aventure du prince roumain, dossiers médicaux à l'appui.

Himmler avait envoyé le prince à Dachau car il pensait « que le dur labeur et les conditions pénibles de l'existence dans un camp de concentration, contribueraient à sa guérison rapide [1] ».

Le prince, personnage influent de Munich, ne pouvait tout de même pas être traité comme un vulgaire Juif. Le commandant se déplace en personne pour le recevoir :

— Vous allez bien aller à la douche?

Le prince éclate en sanglots. Evidemment, il ne désire pas que des profanes feuillètent son « album vivant ».

Le médecin l'examine et rédige son rapport à Himmler.

— La place de cet homme qui avoue lui-même « éprouver depuis son adolescence des désirs sexuels immodérés qu'il n'arrive pas à satisfaire » n'est pas dans un camp de concentration mais dans une maison de santé.

En attendant la décision d'Himmler, il est attaché à son lit; le lendemain il s'écroule lorsqu'on veut lui faire pousser un wagon. Il mourra deux jours plus

1. Rudolf Hoess : *Le commandant d'Auschwitz parle.* Julliard 1959.

tard... d'ennui. Himmler se penche longuement sur ce cas, dépêche à Dachau des médecins, des professeurs d'université, réclame rapports sur rapports. Et comme chaque spécialiste lui confie : « C'est un mal qui ne se guérit pas », Himmler prend les choses en main.

— Le Reichsführer [1] organisa à Ravensbrück des « stages de guérison ». Un certain nombre d'homosexuels qui n'avaient pas donné de preuves définitives de leur renonciation au vice, furent appelés à travailler avec des filles et soumis à une observation très stricte. On avait donné aux filles l'ordre de se rapprocher, sans avoir l'air, de ces hommes et d'exercer sur eux leurs charmes sexuels. Ceux qui s'étaient vraiment améliorés (avant le stage, devant les brimades, les menaces) profitèrent de l'occasion sans se faire prier; quant aux incurables ils ne gratifiaient pas les femmes d'un seul regard. Si celles-ci se montraient trop provocantes, ils s'en détournaient avec dégoût et horreur.

Le « stage » se terminait par une ultime épreuve : les guéris étaient laissés seuls en présence de malades. S'ils succombaient tout était à recommencer.

Himmler qualifia ces stages de « demi-échec » et chercha une solution plus radicale. Il la trouva en la personne d'un commandant SS danois, le docteur Vernaet qui avait inventé une méthode infaillible pour guérir l'homosexualité. Il demandait l'autorisation « respectueuse » d'expérimenter dans un camp,

1. Rudolf Hoess : ouvrage déjà cité.

« ayant appris que cela se faisait ». Himmler bondit sur l'occasion et lui ouvrit les barbelés de Buchenwald.

Le docteur Vernaet sélectionna quinze cobayes « désespérément » invertis. Ils demandèrent au docteur Horn, un détenu, de leur expliquer ce qui devait leur arriver...

— Ils étaient très effrayés, ils tremblaient comme des feuilles. Je leur dis qu'il s'agissait d'une hormone mâle qu'on allait leur implanter et que ce ne serait pas dangereux.

Le docteur Vernaet, comme Rascher, désirait monnayer sa préparation. Il proposa à Himmler :

— Nous pourrions vendre cette invention à l'étranger au marché noir pour obtenir des devises. Nous pourrions la promettre à des espions en récompense d'informations utiles [1].

Himmler haussa les épaules et lui conseilla d'expérimenter ses hormones avant de « rêver éveillé ».

La « pile Vernaet » devait être implantée dans l'aine ou sous la peau des patients. Sur les quinze opérés deux moururent et aucun ne « guérit »...

1. Déclaration du docteur Poppendick, Nuremberg.

X

POUR VOIR...

Flossemburg.

— Un détenu polonais nouvellement arrivé avait subi avant la guerre une grave intervention chirurgicale : ablation de l'estomac, de la rate et de trente centimètres de duodénum. Il commit l'imprudence de le dire au médecin du Revier, le Sturmbanführer Schmidt, dans l'espoir de se voir exempté de travail. Celui-ci qui n'avait jamais observé un homme sans rate voulut connaître comment l'opération avait été menée. Il pratiqua une nouvelle incision au même endroit, regarda et referma.

Quinze jours après le polonais mourut sur son lit d'hôpital [1].

---

1. Henri Margraff. Témoignages strasbourgeois.

Curiosité bien naturelle si l'on sait que Cléopâtre faisait régulièrement ouvrir le ventre de ses servantes enceintes pour suivre le développement du fœtus. Suprême raffinement : c'est elle-même qui obligeait « ses femmes » à « attendre » un bébé en les menaçant de mort si elles n'acceptaient pas de contribuer à la grandeur de la nation.

*
**

Le docteur Neumann de l'Institut d'Hygiène de la Waffen SS à Berlin, prélevait des morceaux de foie sur des hommes bien vivants. Toutes ses victimes mouraient dans d'affreuses souffrances. Le pire de cette espèce de médecins SS était indubitablement le docteur Eysele. A Buchenwald, à Natzweiler de 1940 à 1943 il dépassa, de loin, toutes les horreurs que pouvaient commettre d'autres médecins SS. Lui aussi pratiquait pour son développement « professionnel » la vivisection sur des hommes qu'il assassinait ainsi : il prenait ses victimes au hasard dans les rues du camp, les menait à l'ambulance pour leur faire des piqûres d'apomorphine et jouir de l'effet produit. Sans la moindre nécessité, il faisait des opérations et pratiquait des amputations. Et il n'était pas question d'endormir la victime! Un des rares témoins survivants qui servit lui aussi de cobaye à Eysele, était le Juif hollandais Max Nebig, sur lequel il pratiqua une gastrectomie. Après son opération, alors qu'il devait être tué par une piqûre, le Kapo de l'infirmerie lui fit une inoffensive injection d'eau distillée et il éloigna le « mourant » des yeux d'Eysele, en le mettant à l'abri dans le pavillon des tuberculeux où par crainte de la contagion, le médecin SS n'entrait jamais. Nebig y est resté caché jusqu'en 1945.

Il est certain que d'autres médecins, « pour voir » opèrent des déportés dans le secret des laboratoires. Les corps qu'ils étudiaient sur les marbres des morgues ne leur suffisaient pas. L'observation directe sur un être vivant leur semblait plus profitable, plus scientifique. Mais les preuves manquent aujourd'hui pour accuser tel ou tel médecin. On sait par exemple, qu'à Dachau disparaissaient tous les déportés dont un membre était atrophié... Aucune preuve également sur les expérimentations de médicaments nouveaux, sauf pour le Polygal de Rascher. On sait, pour avoir retrouvé des lettres dans les archives d'Himmler, qu'un médicament : le Diamino Diphényl Sulfone fut essayé à Buchenwald sur des malades. Il est probable que des dizaines, peut-être des centaines de drogues furent testées sur les consultants des infirmeries ou les prisonniers des forteresses. Ainsi un Lillois, Emile Rose, m'a remis un épais dossier sur les « mystères médicaux » de la forteresse de Kassel :

— J'étais seul dans une cellule avec un médecin allemand et des infirmiers. Ils m'ont fait régulièrement des piqûres de toutes sortes : intraveineuses, intramusculaires, dans la colonne vertébrale et dans les testicules... Aujourd'hui, je suis totalement dénaturé.

*
**

Les médecins du front, inlassablement, rédigeaient des rapports sur les méfaits des sérums antigangréneux allemands qu'ils administraient à leurs blessés. Très souvent, après l'injection, le malade mourrait. Les sérums français, par contre, étaient efficaces et ne provoquaient aucun trouble. L'Académie de Médecine militaire et le docteur Mrugowsky, hygiéniste en chef de la Waffen SS estimèrent que le phénol contenu dans le seul sérum allemand était responsable des accidents. Au cours d'une réunion à l'Académie, Mrugowsky chargea Ding de participer à une séance d' « euthanasie » dans un camp « pour voir » comment tuait le phénol.

Ding, un jeune médecin SS, dirigeait le centre expérimental du typhus à Buchenwald [1]. Il ne se soucia pas de savoir si les cobayes choisis étaient condamnés à mort. Les SS poussèrent dans une salle de l'hôpital cinq déportés, torse nu. Le médecin de garde leur avait dit qu'ils allaient être vaccinés contre le typhus. Ils étaient détendus, souriants, heureux d'échapper au travail des commandos. Ding a rédigé un rapport :

1. Nous le retrouverons dans le chapitre consacré au typhus. Il s'est suicidé à la Libération. Mrugowsky a été condamné à mort et exécuté à Nuremberg.

— Les prisonniers s'assirent tranquillement sur une chaise, sans émotion, à côté d'une lampe. Un infirmier bloqua la veine du bras et le docteur Hoven injecta rapidement vingt centimètres cubes de phénol brut non dilué. Ils moururent pendant l'injection, sans signes de douleur en moins d'une seconde.

Expérience hautement scientifique comme on a pu le constater! Mais, par les yeux de Ding, les chefs de la Médecine militaire « avaient vu ».

Au cours de l'été 44, dans la région de Cracovie, un fonctionnaire polonais était légèrement blessé par un résistant. Deux heures après il mourrait en présentant tous les symptômes d'un empoisonnement. Le résistant fut retrouvé. Les balles de son revolver étaient creuses et contenaient des cristaux. L'Institut de Chimie de la Police criminelle analysa le poison : c'était de l'aconitine [1] d'origine soviétique. Des balles furent fabriquées artisanalement en laboratoire. Etaient-elles aussi radicales que les projectiles soviétiques? Il fallait voir. Mrugowsky et Ding surveilleraient l'expérimentation. Le 11 septembre 1944, cinq déportés durent s'allonger dans la cour d'un block de Sachsenhausen. Un sous-officier SS chargea son 7,65 et en présence des médecins tira dans la cuisse

1. Extrait de l'aconit, plante vénéneuse d'un mètre de hauteur. Feuilles vertes, fleurs bleues.

gauche des « sélectionnés ». Le SS, ému sans doute, tremblait. Il blessa trop gravement deux détenus. Mrugowsky écrivit dans son rapport :

— Ces deux sujets furent abandonnés.

Ils agonisèrent sans aucun doute dans un coin alors que le groupe d'observateurs se penchait sur les trois autres blessés; à moins qu'un drame se soit joué dans cette cour du block et que les spectateurs aient voulu le cacher. Ding confia beaucoup plus tard à son secrétaire, le déporté Eugen Kogon, qu'un des Russes avait réussi à dissimuler un couteau et qu'il avait attaqué Mrugowsky. On imagine la réaction des gardiens qui dégainent et abattent le déporté déjà blessé par la balle empoisonnée; un second Russe se relève... Ce qui expliquerait les deux sujets « abandonnés » et les observations publiées qui glissent sur le sort des deux « cobayes ».

— La vue [1] de cette exécution fut une des expériences les plus horribles de mon existence. D'autre part, je ne pouvais abréger les souffrances car il n'existe aucun antidote.

— Au [2] bout de vingt à vingt-cinq minutes des troubles se déclarèrent en même temps qu'un léger écoulement de salive. Quarante-trois à quarante-quatre minutes après, nouvel écoulement très abondant de salive... salive écumeuse... symptômes d'étranglement, vomissements.

1. Déclaration de Mrugowsky à Nuremberg.
2. Rapport de Mrugowsky à l'Institut de Criminologie de la Police de Sécurité, en date du 12 septembre 1944.

Pendant la première heure, les pupilles restèrent sans changement. Au bout de soixante-dix-huit minutes, on put constater une dilatation des pupilles d'importance moyenne, avec en même temps paresse des réactions à la lumière. Les réflexes rotuliens et achilléens avaient disparu.

Au bout de quatre-vingt-dix minutes, un des sujets d'expériences se mit à respirer très profondément et fut repris d'une agitation motrice qui alla en augmentant. La respiration devint rapide et superficielle. Il éprouvait en même temps de fortes nausées.

Un des sujets essaya, en vain, de vomir. Pour y parvenir, il introduisit dans la gorge les quatre doigts d'une main. Sa figure était congestionnée. Les deux autres sujets, par contre, montrèrent très tôt un visage pâle. L'agitation devint si forte qu'ils se dressaient, se laissaient retomber, roulaient les yeux, lançaient des mouvements désordonnés avec les mains et les bras. Peu à peu l'agitation se calma, les pupilles s'agrandirent au maximum. Les condamnés restèrent étendus tranquillement. La mort survint respectivement cent vingt et une, cent vingt-trois et cent vingt-neuf minutes après la blessure. »

Inutile de préciser que les balles empoisonnées ne furent jamais fabriquées industriellement. L'expérience « pour voir » ne servit à rien.

⁂

Cet « essai » est à rapprocher d'une série de crimes, plus atroces encore, commis à Ravensbrück.

— Deux SS de service au camp de jeunesse, Happ et Koelher, n'arrivaient pas à se mettre d'accord sur le problème qui leur semblait capital à la veille de la libération du camp :

— Souffre-t-on beaucoup si l'on est blessé par balle? Combien de temps faut-il pour mourir si l'on est touché aux jambes, au ventre, au visage?

— Nous n'avons qu'à essayer.

— Essayer? Un médecin pourrait nous renseigner.

— Non rien ne vaut l'observation directe. D'ailleurs les médecins ont beaucoup d'autres expériences en train pour nous écouter...

La folie expérimentale des médecins avait déteint depuis longtemps sur les gardiens des camps. On ne compte pas ces « recherches imbéciles » tentées par les SS; chaque déporté peut en citer des dizaines. Combien de temps un homme peut-il tenir debout sur un pied? Les records sont homologués par le secrétariat du directeur. Combien de kilomètres peut parcourir un homme affaibli en marchant, en courant, avant de s'écrouler? Etudes sur la gymnastique, les heures de sommeil, le rendement, la nourriture, la « distribution » et la « réception » des coups. Comment se débarrasser des corps? Recueillir le plus rapidement possible les vêtements, les dents? Etc.

Happ et Koehler étaient décidés, rien n'aurait pu les arrêter.

Vera Salvequart une infirmière SS du camp a témoigné au procès de Ravensbrück, avant d'être, elle-même, condamnée [1].

— C'est approximativement le 5 ou 10 avril 1945 qu'un convoi d'environ deux cents femmes, dont quatorze religieuses, arriva de Pologne. Ces femmes furent mises au block 2. Une des religieuses, Isabelle Masynska, me demanda quelques comprimés pour elle et ses camarades souffrant de diarrhée.

— Le jour suivant, je me trouvais dans la salle des mortes, au service de récupération de l'or. Happ et Koehler entrèrent et me dirent de les suivre au petit camp. Happ avait pendant ce temps, amené les quatorze religieuses dans la cuisine désaffectée située derrière mon block. Tout à coup, nous entendîmes des coups de feu. Je fus à ce moment même appelée par Happ. Il me donna l'ordre d'apporter les ciseaux à dents à la fameuse cuisine. Lorsque j'entrai, je vis un spectacle indescriptible. Quelques-unes des religieuses étaient terriblement blessées et se convulsaient par terre, les yeux crevés, les orbites arrachées, des jets de sang jaillissaient de leur visage.

Happ et Koehler tiraient à bout portant, au revolver, sur ces femmes qu'ils atteignaient aux points les moins vulnérables du corps, au visage en particulier pour mesurer la résistance d'un soldat blessé et susceptible de survivre assez longtemps. Expérience qu'il fallait pratiquer [2].

---

1. Archives commission d'Histoire de la Déportation.
2. Phrase mystérieuse que les juges n'ont pas essayé d'éclaircir. Les deux SS avaient-ils, en définitive, demandé l'autorisation à un médecin pour être « couverts ».

Encore pantelantes, ces femmes furent emportées au crématoire au bout de quelques instants, en moins d'une heure je crois.

***

Edouard Lambert [1] se tenait au garde-à-vous dans le couloir de l'infirmerie de Buchenwald...

— Approche!

Lambert en boitillant s'avança vers le médecin. Il le voyait pour la première fois.

— Alors, ta jambe, ça va?

Lambert avait eu le pied coincé sous la roue d'un wagonnet.

— C'est fini. Je sors tout à l'heure.

Le médecin s'effaça pour le laisser passer.

— Bon! Tu as droit à une récompense. Un bon repas avant de reprendre le travail.

Sur la table, une cruche d'eau, un gros pain et deux poulets bien gras, luisants de graisse, roux, chauds, merveilleux. En moins d'une seconde la bouche du déporté débordait de salive, ses mains tremblaient d'envie, de joie.

— Voilà. C'est pour toi. Ne te précipite pas. Tu as une heure, mais tu dois tout liquider. Je te laisse.

Il resta seul, face à la table. Sa tête tournait. Il se précipita sur le pain d'abord; à la première bouchée il comprit :

— Si j'avalais tout, j'allais mourir. Je le savais. Il

1. Témoignage recueilli le 12 décembre 1966.

fallait manger sans se presser. Le médecin avait souligné que j'avais une heure. Lentement j'attaquais les cuisses. A la troisième mon estomac s'était noué. Je ralentis le rythme. Il n'y avait sur la table ni couteau ni fourchette. J'étais comme une bête couverte de graisse les narines gonflées! Je ne pensais plus qu'au pain! Les poulets, c'était sûr, je les finirai... Mais le pain? Il y avait un lavabo avec un robinet. Le trou d'évacuation d'eau n'était pas grillagé. J'émiettais des gros morceaux. La miche faisait plus d'un kilo. Lorsque le médecin revint, il ne restait sur la table que deux carcasses et un crouton minuscule.

— Eh bien! Quel appétit!

Il riait.

— Une cigarette?

J'acceptai.

— Bon maintenant quelques examens.

Pendant vingt-quatre heures Edouard Lambert fut livré à deux infirmiers qui lui firent deux prises de sang et surveillèrent sans arrêt sa température, son cœur, sa tension. Le lendemain, le médecin lui tendit un verre d'alcool et lui souhaita bonne chance.

— Vous vous souviendrez de mes poulets. Vous m'avez pris pour un fou. Allons, que tout se passe bien pour vous.

Et il lui serra la main. Aujourd'hui encore Lambert se demande la signification de ce repas digne de Pantagruel. Le médecin anonyme (il ne portait pas les fers SS) poursuivait sans doute des travaux sur la nourriture. Ces recherches étaient permanentes dans les camps de concentration, dans pratiquement tous les camps. Karl Brandt reconnut à Nuremberg avoir ordonné des essais de nourriture concentrée sur les déportés d'Oranienburg.

« Il s'agissait de mets concentrés que l'on devait parachuter dans certaines régions de Russie. Nous avions pris cette décision après avoir reçu des rapports de la forteresse de Stalingrad. On discutait sur la façon d'incorporer les matières grasses et les protéines. Ces expériences étaient importantes, mais sans danger. Les rations contenaient deux fois ou même plus, de calories qu'il n'était nécessaire... Nous désirions connaître la forme de nourriture la plus capable de permettre aux soldats d'exécuter leur devoir. »

A Mauthausen, les expériences sur l'alimentation entraînèrent plusieurs morts. Jean Laffitte, matricule 25 519 fut l'un des premiers Français déportés dans ce camp. Il était affecté au block 16, appelé par les uns « block des cobayes », par les autres « block de la mort ».

— Le block 16 [1], édifié juste en face du Krématorium, était entouré d'une enceinte spéciale et isolé du reste du camp. Nous n'en sortions que pour nous rendre au travail qui pour nous s'effectuait à la carrière et dans les commandos les plus durs. Tout le reste du temps nous étions soumis au régime de la quarantaine, y compris pendant la durée des appels. Privés de lits, entassés les uns à côté des autres, nous

1. Témoignage recueilli le 26 décembre 1966.

faisions l'objet de brimades permanentes (contrôles de toutes sortes, gymnastique à coups de schlague, douches glacées, etc.) qui pratiquement nous interdisaient le repos.

Les « expériences » pratiquées sur nous, portaient sur un régime spécial d'alimentation dont on essayait les effets sur l'organisme humain. Cette nourriture se présentait sous la forme de bouillies. Elles se composaient, pour autant que nous pûmes en déceler l'origine, de résidus végétaux ou d'erzats chimiques. Certaines de ces bouillies provoquaient la dysenterie ou la constipation. L'une d'elles, où nous pûmes déceler des grains d'avoine à ergots très aigus, entraîna en quelques heures la mort de plusieurs cobayes.

Chaque semaine, nous étions pesés et faisions l'objet d'un examen sommaire, à l'intérieur du block, dans l'ambiance des cris et des coups. Chaque mois, nous étions conduits, sous bonne garde à l'extérieur du block pour un examen plus complet et des prélèvements de sang, ce qui aggravait encore notre faiblesse physique. La plupart de ces visites nous obligeaient à rester nus, dehors, pendant plusieurs heures.

De façon générale, le régime du block 16 a entraîné pour une même période, une mortalité beaucoup plus grande que celle constatée dans les autres blocks. Les malades ou blessés du block n'étaient pas admis à se faire soigner au Revier.

⁂

Camp de Gusen.

— J'ai [1] été hospitalisé à l'infirmerie dans le « block des puces ». Nous étions enfermés là pour voir combien de temps nous pouvions résister à l'action de ces parasites. J'ai vu le chef du block 31 faire des expériences sur des malades qu'il voulait guérir. Il avait une seringue énorme où il mettait toutes les ampoules d'une boîte et il était tout étonné du résultat car, à chaque fois, les malades mouraient dans de terribles souffrances.

1. Témoignage de Georges Parouty, 8 janvier 1967.

XI

L'AFFAIRE DES POISONS

Le capitaine Selvester, fines moustaches lissées, taches de rousseur, doigts noueux, fixe longuement ce flibustier échappé d'un brigantin sabordé.

— Pourquoi ce bandeau sur l'œil gauche?

— Rien. Une égratignure.

— Votre nom?

— Vous avez les papiers, vous ne savez pas lire?

— Votre nom?

— Je vous dis : lisez.

— Votre nom?

— Heinrich Hitzinger.

— Vous appartenez?

— A la Geheime Feldpolizei.

— Grade?

— Feldwebel...

Himmler, pâle, retrouve sa confiance; ce petit capitaine britannique stupide et borné ne l'a pas reconnu. Lui qui soigne particulièrement ses moustaches aurait du se rendre compte que le prisonnier a rasé les siennes : sous le nez la peau est plus claire. Ah! si seulement il avait « perdu » comme tout le monde ses papiers. Mais non! Le vieux réflexe policier a joué : avec un laissez-passer du Service de sécurité de l'Armée de terre, on ne peut être considéré comme suspect...

Sauf pour les Britanniques qui arrêtent tous ceux qui brandissent des papiers et en particulier les membres des Services de sécurité, considérés *a priori* comme « possibles criminels de guerre ». La sentinelle du poste de contrôle de Meinstedt a examiné longuement cette carte barrée de noir, lisse, timbrée, tamponnée.

— Elle semblait sortir d'un coffre-fort. J'ai téléphoné à un officier et j'ai gardé Hitzinger et ses compagnons. Ils étaient une dizaine. Tous déguisés. Habillés à la fois de vêtements civils et militaires.

Le 23 mai 1945, les prisonniers sont transportés au camp britannique d'interrogatoire 031 de Luneboug.

— Votre nom?

Alors Hitzinger dans une attitude théâtrale arrache son bandeau, sort une paire de lunettes de sa poche, les ajuste, se fige au garde-à-vous :

— Je me présente : Reichsführer Heinrich

Himmler. Je suis pressé. Je dois absolument rencontrer le maréchal Montgomery. C'est urgent.

Le capitaine n'a pas bronché. Il sonne les gardiens et en leur confiant le prisonnier :

— J'ai un coup de fil à passer au Q.G.

Selvester revient avec un officier.

— Nous voudrions comparer votre signature avec une copie que nous avons ici.

— Pour que vous vous en serviez en me faisant déclarer n'importe quoi. Je refuse.

Le capitaine s'approche du Reichsführer.

— Déshabillez-vous?

— Dans une poche du pantalon, le second officier découvre deux ampoules de verre. Il les montre à Selvester en murmurant :

— Poison.

Selvester demande à Himmler :

— A quoi servent ces ampoules?

— Des médicaments. J'ai souvent des maux d'estomac.

Les ampoules sont longues. Une moitié de cigarette. Selvester pense qu'Himmler doit en cacher une plus petite dans sa bouche.

— Nous gardons vos vêtements. Vous allez enfiler cette tenue britannique.

Himmler refuse.

— C'est ça? Après vous n'aurez qu'à m'abattre comme espion.

Froidement le second officier réplique :

— Ce n'est pas dans nos habitudes. Je pense que

nous n'avons pas les mêmes règles de guerre. Vous devez le savoir.

Selvester disparaît et revient alors qu'Himmler consent à s'habiller.

— Vous devez avoir faim?

Une ordonnance apporte des sandwiches et deux théières.

Himmler se sert.

— J'aurais préféré du vin. Vous pensez que l'on va me conduire auprès du maréchal?

— Nous attendons un de ses adjoints.

Le colonel Murphy du Deuxième Bureau de l'Etat-Major Montgomery s'entretient dans une pièce voisine avec le capitaine médecin Wells qui a découvert les ampoules de cyanure.

— Comment est-il?

— Nerveux. Il a refusé de s'habiller avec notre uniforme. Il disait qu'on voulait le tuer, ou mieux encore le photographier et le discréditer aux yeux des allemands. Il a accepté un caleçon, une chemise et des chaussettes. On lui a jeté sur le dos deux couvertures.

— Et le poison?

— Nous avons trouvé des capsules dans une poche. Rien dans le corps.

— La bouche?

— Nous n'avons pas fouillé. Mais il a mangé et bu.

— Oui! Nous verrons tout à l'heure.

Michael Murphy reconnaît Himmler.

— Vous voulez voir le maréchal?

— J'ai préparé une lettre pour lui. Je suis toujours le chef des SS.

— Je sais. Voulez-vous me suivre.

Murphy conduit Himmler dans une cellule de la prison d'Ulzenerstrasse. Le sergent-major Edwin Austin est chargé de surveiller le Reichsführer.

— On ne m'avait pas dit que c'était lui. Mais je l'ai reconnu. J'avais vu des photos. Il tremblait sous ses couvertures. J'avais une peur bleue qu'il se suicide. Le général Pruetzmann avait croqué une boule de poison devant moi... J'avais un interprète. J'ai montré au prisonnier son grabat et je lui ai dit de se mettre nu. Il s'est énervé.

— Vous ne savez pas à qui vous avez à faire?

J'ai répondu :

— Mais si voyons, vous êtes Himmler. Ça m'est égal. J'ai reçu des ordres. Allez. Exécution. Couchez-vous.

A cet instant précis Murphy et Wells arrivent devant la cellule. Austin ouvre la porte.

— Nous allons vous fouiller. Nous devons nous assurer...

— Je sais, le poison. J'ai déjà été fouillé.

Ce seront là les dernières paroles d'Himmler. Wells minutieusement ausculte le corps du prisonnier. Il passe ses mains dans les cheveux et d'un geste brusque les plonge dans la bouche en se couchant sur la nuque du Reichsführer. Deux doigts de sa main droite ont forcé les lèvres. Himmler mord Wells au sang.

Déjà il se tord sur le lit crachant de minuscules morceaux de verre. Murphy s'affolle.

Il nous a eu. Le salaud!

Wells retourne le corps, le secoue. Rien n'y fera : vomitifs, lavage d'estomac, respiration artificielle. Onze minutes après avoir broyé la capsule de cyanure, Himmler roulera mort sur le plancher.

Austin remonte la couverture sur le visage violacé :

— Ah il est beau! Ce n'est que ça Himmler! Dans le fond il a ce qu'il mérite.

Avec un peu plus de diplomatie, les Britanniques auraient obtenu les archives du Reichsführer enterrées quelque part en territoire allemand. Himmler qui s'estimait le seul successeur historique d'Hitler se serait certainement suicidé avant son exécution (comme Gœring) mais auparavant il aurait, par orgueil et pour se justifier, livré ses principaux secrets. Le « grand maître » des expériences médicales humaines a préféré disparaître, lorsqu'il s'est rendu compte qu'on allait arracher de sa bouche cette capsule qui le protégeait d'une mort infamante et peut-être douloureuse, d'une mort dont il désirait choisir lui-même le jour et la seconde. N'avait-il pas toujours été « forgeron de son destin »?

Deux événements au cours de l'année 1941, lui firent adopter la décision de « conseiller » à chaque dignitaire ou responsable de la machinerie nazie, de conserver en permanence, « à portée des lèvres » une capsule de poison.

Le 10 mai 1941, le dauphin du Führer, Rudolf Hess, s'échappait d'Allemagne pour négocier avec Winston Churchill la fin de la guerre. Hitler sombra dans une colère sans précédent.

— Il faut dire qu'il a été enlevé. D'ailleurs il a été enlevé... non... non, nous dirons qu'il était fou, qu'il a été attiré dans un piège et que quand il s'est aperçu qu'il était trahi, il a avalé du poison...

Deux mois plus tard, Himmler en visitant un camp de concentration s'évanouit au bord d'une fosse commune; un homme « mort » depuis deux jours, à demi-recouvert de terre se dressait en hurlant... Le Reichsführer confia à son médecin :

— Je ne pourrais jamais supporter une telle souffrance, une telle angoisse. Je vais rêver de ce fantôme. Le mieux, voyez-vous, serait que j'ai toujours avec moi du poison.

Rascher, l'âme damnée d'Himmler, comme toujours, se trouvait là où il fallait, quand il fallait. Les deux hommes passèrent un accord secret, puisque nous savons par Walter Neff, que le petit capitaine expérimenta seul, les poisons au camp de Dachau.

— Il fabriquait soixante à quatre-vingts comprimés par jour.

Après la première « mise au point » de Rascher, pratiquement tous les camps essayèrent leur capsule. Heinz Baumkoettner, médecin SS du camp de Sachsenhausen avoua à son procès que des détenus furent contraints d'absorber du cyanure de potassium. Le témoignage le plus important nous le devons à l'écrivain cathôlique Eugène Kogon [1] qui témoigna à Nuremberg.

— Je connais deux cas. Le premier à la fin de 1943 et le second, probablement pendant l'été de 1944. Dans chaque cas on utilisa des prisonniers de guerre russes.

La première fois, on mit différentes préparations de la série des alcaloïdes dans la soupe aux nouilles des prisonniers de guerre qui se trouvaient au block 46; sans se soucier de quoi que ce soit, ils prirent cette soupe. Deux furent malades et vomirent; un troisième perdit connaissance, le quatrième ne présenta aucun symptôme. Là-dessus, les quatre furent étranglés au crématoire, et disséqués.

La seconde fois, Ding revint de Berlin et me dit qu'il avait une tâche très désagréable à remplir. Je dois dire qu'à ce moment il n'existait rien de privé ou d'officiel qu'il ne me confiât. Il se rendait compte que la cause national-socialiste était perdue. Il me dit : « Kogon, voyez-vous un moyen de m'en sortir? Je dois essayer sur les prisonniers de guerre un poison et en rendre compte immédiatement. C'est un ordre direct de Mrugowsky... » Il alla trouver en toute hâte le chef du camp Schubert et le commandant Pister. Ils se rendirent au crématoire. Quatre prisonniers

---

1. Auteur d'un livre capital sur la déportation : *L'enfer organisé*. La jeune Parque. Paris 1947.

russes avaient été amenés dans la cave aux murs de laquelle se trouvaient quarante-six crochets. Avec ces allonges de boucherie, on étranglait les gens. Les prisonniers furent empoisonnés. Ding me dit plus tard qu'il moururent très rapidement. Ils furent disséqués et brûlés. Ding n'envoya pas de rapport écrit à Berlin. Il me dit qu'il devait rendre compte verbalement à Mrugowsky.

Ding brûla même devant Kogon le petit papier sur lequel il avait noté la formule chimique du poison. Toutes ces précautions expliquent le peu d'informations qui nous soient parvenues sur ces mystérieuses et criminelles « affaires des poisons ».

XII

LES ARBRES SECS

La taille, les hanches, les jambes sont lourdes; le visage étroit, les mains longues et fines. Gudrun a fêté ses trente-huit ans au mois de mai 1967.

C'était bien son nom sur l'annuaire téléphonique de Munich; son adresse aussi : 81 Georgenstrasse. Je ne voulais pas lui parler mais j'ai tout de même composé le numéro. Elle a décroché, répété trois fois « j'écoute » avec une petite voix sèche, cassée, puis elle a raccroché. Dans le fond je n'avais rien à demander à la fille d'Himmler. Je connaissais toutes les réponses qu'elle aurait pu faire à mes questions.

— Pourquoi avez-vous gardé le nom de votre père?

— Je suis fière de lui, de son nom.

— Comment vivez-vous?

— Seule. J'ai fait tous les métiers avant d'acheter une petite blanchisserie. Je me débrouille. Je consacre tous mes loisirs à la mémoire de mon père. Je suis fière de lui. On lui a tout mis sur le dos. C'est trop facile. Je vais le réhabiliter. J'y consacrerai s'il le faut toute ma vie. Un jour on parlera de lui comme de Napoléon... Vous savez il ne s'est pas suicidé. On l'a assassiné.

Je pense qu'Himmler, s'il vivait, serait fier de sa fille; cette si belle Gudrun qui naissait au moment où il organisait le crime le plus atroce de sa vie : la stérilisation de millions d'hommes et de femmes.

— L'Europe sera peuplée d'arbres secs.

L'Europe sans enfants [1]! C'est bien ça, l'Europe sans enfants.

— Au revoir!

— Soyez courageuses!

— On ne vous oubliera pas!

— Courage! courage! courage!

Le camp de Birkenau est persuadé que I... G... et ses vingt-quatre camarades viennent d'être choisies pour un convoi vers la chambre à gaz. Déjà les SS les traînent vers les douches. Ici, l'eau coule toujours... Le nuage mortel, c'est pour tout à l'heure, sûrement à Auschwitz.

Dans l'air glacé de ce mois de novembre, les

1. Titre d'un ouvrage du docteur Marc Dvorjetski publié en hébreu à Tel Aviv.

femmes attendent, nues, les ordres de leurs bourreaux. Hier elles maudissaient leur travail de terrassement dans les marais... cette eau qui rongeait leur corps; aujourd'hui elles regrettent leurs souffrances de la veille.

— Que vont-ils nous faire?

Personne n'ose répondre.

I... G... s'habille. Une longue robe légère frappée d'une énorme croix rouge dans le dos, un petit fichu sale pour cacher ses cheveux de trois centimètres, deux gros sabots de bois aux pieds. Deux sabots du même pied.

— En rang.

Auschwitz n'est qu'à quatre kilomètres. A nouveau les mêmes cris, les mêmes peurs.

— Courage.

— On ne vous oubliera pas.

— Je ne veux pas mourir.

Et soudain, les visages s'élargissent, les lèvres s'entrouvrent en esquissant un sourire.

— Regardez, nous tournons le dos aux chambres à gaz.

— C'est merveilleux!

— Un jour de plus à vivre!

— C'est un nouveau camp de travail qu'ils forment.

— Non! Taisez-vous. Vous n'avez pas compris ils nous ont pris pour des expériences.

— Des expériences?

— Des expériences, expériences, expériences...

Le mot roule de bouche en bouche.

— Vous voyez bien que j'avais raison. Ils nous conduisent au block 10.

— Mais non c'est le block 1.

— Le block 1 en dur a remplacé l'ancien 10 en bois, mais c'est pareil.

La garde-chiourme les accueille, bouche mielleuse;

— Ici vous allez être au chaud. Il y a de la couture pour tout le monde. Un vrai paradis!

Les femmes travaillent en silence. Elles reprisent des chemises. Le lendemain matin, la chef du block annonce :

— On va vous examiner. Si ça va, on pratiquera sur vous une insémination artificielle. Ce n'est ni dangereux, ni douloureux. Vous avez de la chance. Non seulement vous allez vivre au chaud, mais vous aurez des enfants sans hommes...

La blocklowa s'approcha d'I... G...

— Alors?

— Vous n'avez pas honte d'aider les Allemands?

— Tais-toi, sinon je te dénonce. Prépare-toi. Nous y allons. On commence par toi [1].

Les médecins, appuyés sur une table d'examen en verre bavardent entre eux sans se soucier des déportées livrées aux infirmiers. I... G... s'avance vers un médecin. Il la fixe :

— Non pas celle-là... la suivante.

Une déportée ne peut s'empêcher de lui glisser à l'oreille :

---

1. Témoignage recueilli à Paris, en février 1967. Les dialogues ont été reconstitués par Mme I... G...

— Veinarde.

Une nuit d'espoir, une matinée d'angoisse car toutes les déportées sont rappelées, « préparées ».

Clauberg, bedon débordant en bataille, promène ses un mètre cinquante en sautillant. Un taureau ébloui par le soleil de l'arène.

— Toi. Avance.

I... G... tente son va-tout.

— Docteur, hier un médecin a dit que je n'étais pas bonne pour l'expérience.

— Eh bien moi, je pense le contraire. Tu m'intéresses.

Les assistants installent la déportée sur cette table gynécologique géante. Des lanières de cuir bloquent ses mains, ses chevilles. Un infirmier saisit sa tête.

— Tu as eu tort. Il n'aime pas ça. On ne t'a jamais dit que tu ne devais pas leur parler avant qu'ils t'interrogent.

Clauberg s'approche. La seringue qu'il brandit ressemble à un gros clystère.

Elle ferme les yeux se répétant : « Ne pas bouger pour qu'il ne me blesse pas, ne pas bouger!!! »

Le liquide visqueux en pénétrant dans son corps irrite d'abord, puis la chair s'embrase, flamboie, se carbonise avant de fondre.

La sangle de la main gauche a glissé. I... G... se mord le pouce pour ne pas hurler... le sectionne jusqu'à l'os. Son corps violé, pantelant, déchiré, baigne dans une mare de sueur.

L'infirmier la détache.

— Allez va-t-en. Tu as intérêt à te tenir tranquille.

Derrière la porte des camarades l'attendent pour la porter jusqu'à son lit.

Clauberg s'acharnera sur la jeune déportée qui avait osé lui adresser la parole. Il organisera pour elle, neuf « séances ». Lorsque I... G... pleurera dans son lit en demandant :

— Pourquoi moi, pourquoi encore. Les autres n'y vont qu'une fois, deux fois au maximum...

La chef de block lui répondra :

— C'est bien fait. Tu te croyais dans un salon. Il ne fallait pas te faire remarquer.

Nous avons vu, en suivant les expériences de Mengele, qu'Himmler et l'Ahnenerbe souhaitaient la découverte du secret de la gémellité, pour repeupler deux fois plus vite les territoires conquis dont on exterminait la population inférieure. Hitler qui avait imposé l'Euthanasie des débiles mentaux et des incurables avait préparé, en 1935, une loi sur la stérilisation. Il ne faisait que répandre une idée longuement développée dans sa bible : *Mein Kampf*.

— L'Etat doit déclarer indigne de procréer et en empêcher matériellement toute personne apparemment malade et chargée d'une hérédité dont elle risque d'accabler sa descendance.

Avec l'occupation des nouveaux territoires de l'Est, la « loi » allait être étendue aux bien-portants. Pourquoi? Eh bien simplement parce que tous les peuples ne pouvaient être liquidés par un coup de baguette magique, et puis il fallait bien conserver quelques esclaves pour servir les maîtres. Lorsque les esclaves seraient usés ou morts, alors les nouvelles vagues d'aryens jeunes et forts, défricheraient à leur tour. Les esclaves seraient stérilisés pour ne pas créer de problèmes.

Victor Brack, ami d'Himmler, organisateur et administrateur du programme d'euthanasie en Allemagne, avait parfaitement réussi à faire disparaître plus de deux cent mille malades des hôpitaux et asiles... des maisons de retraite également, car cet homme, qui avait tué de sa main sa femme malade « par souci d'humanité », fit assassiner les anciens combattants mutilés de la guerre 14-18. Le Reich retrouvait des lits, économisait les primes des pensions et fermait définitivement les bouches inutiles.

Himmler tout naturellement s'adressa à lui pour préparer et organiser la stérilisation massive.

Victor Brack posa d'abord le problème.

— Sur [1] dix millions de Juifs en Europe, il y a au moins deux à trois millions d'hommes et de femmes capables de travailler. Considérant les difficultés extraordinaires que le problème du travail soulève, je suis d'avis que ces deux à trois millions soient spécialement choisis et préservés. Ceci ne peut cependant être réalisé que s'ils sont en même temps rendus incapables de procréer.

1. Extraits de lettres à Himmler (de mai 1941 à août 1942).

La solution? Très facile. Vous allez voir :

— La stérilisation, telle qu'elle est pratiquée normalement sur les personnes atteintes de maladies héréditaires est ici hors de question, car elle prend trop longtemps et est trop coûteuse. La castration par rayons X est non seulement relativement bon marché, mais peut aussi être pratiquée sur plusieurs milliers de sujets en un temps très court.

Comment? Inimaginable! Victor Brack voulait construire un labyrinthe fantastique...

— Un moyen pratique de procéder consisterait à faire approcher les personnes à traiter d'un guichet où on leur demanderait de répondre à quelques questions ou de remplir des formules pendant deux ou trois minutes [1]. La personne assise derrière le guichet manœuvrerait l'appareil et mettrait en action deux ampoules simultanément car les radiations doivent être envoyées de chaque côté. Avec une installation à deux ampoules, cent cinquante à deux cents personnes environ pourraient être stérilisées chaque jour. Par conséquent, avec vingt installations de ce type, trois mille ou quatre mille personnes pourraient être stérilisées chaque jour. A mon avis un nombre quotidien plus important ne pourrait pas être atteint. Je puis seulement donner un chiffre approximatif des dépenses d'un appareil à deux lampes : environ vingt mille à trente mille Reutenmarks. Il y aurait cepen-

1. Les expériences réalisées avaient prouvé que cent quatre-vingts secondes d'irradiation (600 r) suffisaient à provoquer la stérilité permanente.

dant en plus le prix de la construction d'un nouveau bâtiment car les installations devraient être préparées pour la protection complète des manipulateurs.

Himmler accusa réception, s'emballa pour le projet, l'oublia et le relança enfin en réclamant des expérimentations dans les camps de concentration. Un jeune Juif polonais témoigna à Nuremberg. Sa déposition fut entrecoupée de sanglots. Son frère, ses deux sœurs, ses parents, déportés comme lui, n'étaient pas revenus.

— A Auschwitz, je reçus le numéro 132 266. Un soir on ordonna à tous les Juifs âgés de vingt à vingt-quatre ans de se présenter au bureau. Je n'y allai pas. Vingt prisonniers furent sélectionnés et durent se présenter à un médecin le jour suivant. Ils revinrent mais personne ne sut ce qu'on avait fait à ces vingt-là. Une semaine plus tard, vingt autres Juifs de vingt à vingt-quatre ans furent choisis. Mais cette fois la sélection fut faite par ordre alphabétique et je fus l'un des premiers. On nous amena à Birkenau dans le camp de travail des femmes. Là, un médecin de grande taille, en uniforme de l'Armée de l'Air arriva à motocyclette [1]. Nous fûmes contraints de nous

---

1. Il s'agit du docteur Horst Schumann chargé par Victor Brack d'expérimenter les rayons X. Auparavant Schumann avait « dirigé » avec passion un centre d'euthanasie. Il avait disparu... Retrouvé par des magistrats allemands au Ghana, il a été extradé le 17 novembre 1966. Son procès s'ouvrira devant la cour d'assises de Francfort après la parution de ce livre. Il ne devrait sortir des débats aucune révélation fracassante. Attendons la décision des juges. Ils appelleront certainement à la barre ce jeune Polonais dont vous lisez le témoignage. Quelques jours après son extradition, l'ancien médecin

déshabiller et nos organes sexuels furent placés sous un appareil pendant quinze minutes. Cet appareil chauffa fortement nos organes et les parties environnantes qui, plus tard, devinrent noires. Après ce traitement, nous dûmes reprendre notre travail immédiatement. Quelques jours après les organes sexuels de la plupart de mes camarades suppurèrent et ils eurent les plus grandes difficultés à marcher. Malgré cela ils durent travailler jusqu'à l'évanouissement; ceux qui s'évanouirent furent envoyés à la chambre à gaz...

... Deux semaines plus tard, nous fûmes conduits au block 20 d'Auschwitz. Là, on nous opéra. Nous reçûmes une injection dans le dos qui rendit insensible la partie inférieure du corps. On nous enleva les deux testicules. J'ai pu suivre toute l'opération dans le miroir d'une lampe.

— Le Président : Témoin, n'ayez aucune crainte.

— Excusez-moi si je pleure... Pendant trois semaines je restai à l'hôpital. Nous y avions très peu de nourriture mais beaucoup de mouches et de vermine... Pendant la grande fête juive, soixante pour cent des malades furent transportés à la chambre à gaz. J'ai été libéré le 30 avril 1945 par les Américains. Je me

---

personnel du président N'Krumah était cité comme témoin dans le cadre d'un autre procès d'euthanasie. Il fut entendu le 13 mars 1967 par les magistrats de la cour d'assises de Francfort :

— Je suis le principal responsable de l'action d'euthanasie entreprise au début de la guerre à l'hôpital de Sonnenstein en Sarre. 20 000 malades mentaux ont été exécutés par miséricorde... C'est moi qui avais ouvert personnellement le robinet des chambres à gaz.

Horst Schumann est âgé de 60 ans.

sens très découragé et j'ai honte de ma castration. Le pire est que je n'ai aucun avenir... Je mange très peu et malgré cela je deviens très gras... J'ai entendu parler du procès et j'ai pensé que c'était mon devoir de venir témoigner...

... Tout cela parce que j'étais Juif. Je demande au tribunal de ne publier mon nom en aucun cas.

Le docteur strasbourgeois Robert Lévy, déporté, dirigeait le block chirurgical de Birkenau.

— Leurs blessures se transformaient souvent en cancers des rayons. Je suppose que les testicules étaient enlevés pour permettre un examen microscopique destiné à contrôler le résultat du traitement par les rayons. Je suppose qu'ils soumettaient les sujets à des rayons de densité variable, afin de découvrir la dose convenable. Ces garçons stérilisés étaient atteints physiquement et mentalement. Ils souffraient énormément car la radiodermite est une affection extrêmement douloureuse. Ils étaient mentalement diminués. Ils n'étaient plus des hommes, mais des épaves humaines.

Une doctoresse française, Mme Hautval a soigné, plusieurs victimes des stérilisations.

— Une des expériences les plus lamentables fut la stérilisation par les rayons X de toutes les jeunes filles de seize à dix-huit ans. Elles étaient Grecques pour la plupart, des frêles créatures délicates, dont les souffrances révoltaient... Les petites revenaient le soir dans un état effrayant. Elles vomissaient sans cesse et se plaignaient de douleurs abdominales atroces.

Nombreuses furent celles qui durent s'aliter durant des semaines et même des mois. Nombreuses furent celles atteintes de brûlures radiologiques fort étendues nécessitant des pansements de longue durée...

... Il faudrait parler aussi des petites bohémiennes de Ravensbrück, des fillettes dont on ne peut pas oublier la vue, par terre dans les corridors du Revier. se tordant de douleur après la stérilisation.

Car les « essais » des « savants » portaient aussi sur les enfants.

Une déportée Gustawa Winkowska demanda au docteur Treite, spécialiste de ces stérilisations :

— Pourquoi aussi sur eux?

— Il faut les stériliser très jeunes car ils sont capables d'avoir des enfants à treize ans.

⁂

Le 29 avril 1944, l'adjoint de Brack pouvait écrire à Himmler :

— La castration des mâles par rayons X est presque impossible ou demande un effort qui ne paie pas.

Toutes ces recherches criminelles pour en arriver là! Heureusement pour l'avenir du Reich, Clauberg avait trouvé la solution...

Rondouillard et propret; toujours déguisé en tyrolien — culottes courtes et chapeau à plumes — Karl

Clauberg était le médecin-chef de la clinique des femmes des hôpitaux Knapp et Saint Hedwig de Königshütte en Haute-Silésie. Son surnom chez les déportés : « Rase-mottes. » Une grosse tête sur un corps court. Général SS, informateur de la Gestapo, il ne négligeait pas les avantages financiers de sa charge et payait à l'administration des camps une prime pour chaque « utilisation de matériel humain ». Les laboratoires civils auxquels il fournissait des informations lui remboursaient le triple de la prime payée. Himmler avait accordé toute sa confiance au grand gynécologue.

— Vous seul pouvez trouver une méthode plus efficace et moins onéreuse que les rayons X. Combien de temps vous faudrait-il pour stériliser mille femmes? Il est bien entendu qu'elles ne devraient s'apercevoir de rien.

Le Reichsführer souhaitait que Clauberg stérilise au cours d'un examen général. Pour l'appréciation des résultats? Rien de plus facile :

— Une expérience pratique pourrait être tentée en enfermant un Juif et une Juive ensemble pendant une certaine période...

Obsédé sexuel, friand de ces contacts entre « bêtes de laboratoire », Himmler se délecterait en lisant les rapports médicaux [1].

Le 7 juin 1943, Clauberg lui écrivait :

---

1. A rapprocher évidemment des conseils donnés à Rascher pour le réchauffement par chaleur humaine et aux chefs de camps pour « tester » la guérison des homosexuels.

— La méthode est pratiquement au point. Elle peut être pratiquée par une seule injection à l'entrée de l'utérus au cours d'un examen gynécologique habituel. Il sera possible de stériliser probablement plusieurs centaines et même mille personnes par jour, avec un médecin bien entraîné dans un laboratoire bien équipé, avec peut-être dix assistants.

Nous avons vu au début de ce chapitre comment Clauberg avait expérimenté sa méthode sur une déportée française I... G... ; le docteur Hautval a témoigné à Nuremberg :

— Le block 10 contenait jusqu'à cinq cents cobayes, toutes Juives : françaises, grecques, belges, hollandaises, slovaques et quelques allemandes. La terreur était d'autant plus grande que les victimes ne savaient pas de quoi il s'agissait. La première en date des expériences faites au block 10 semble avoir été une stérilisation par introduction dans l'utérus d'un liquide caustique destiné à provoquer l'obstruction des trompes. (Clauberg opérait.) Elle se fit en trois séances à intervalles de un à plusieurs mois. L'opération fut suivie de radiographies. De nombreuses opérées souffrirent atrocement.

Mais Clauberg, sa « méthode » mise au point, voulait aller plus loin. Ces femmes stérilisées, il allait les rendre fécondes à nouveau, ainsi les médecins du Reich pourraient soigner les aryennes qui malgré de patients efforts n'avaient pu fournir la preuve « maternelle » de leur patriotisme. Le docteur Dora Kleinova a bien connu le block 10 :

— Block de femmes isolé au milieu du camp des hommes, il était entouré de mystère. Les fenêtres en étaient obstruées par des planches clouées, de façon à rendre impossible toute communication avec le dehors et surtout avec les hommes déportés. Nous étions enfermées dans deux grandes salles où végétaient plutôt que vivaient, quatre cents femmes entassées dans des lits à trois étages. Discipline de caserne appuyée d'injures, de cris hostiles et surtout de coups dont nous gratifiaient les surveillants SS et le personnel auxiliaire choisi parmi les détenus.

... En raison de l'installation spéciale dont disposait Clauberg et d'après les intentions qu'il laissait échapper de temps en temps, je suppose qu'il voulait ensuite faire sur ces malades stérilisées mécaniquement des expériences de fécondation artificielle. Ces projets furent heureusement interrompus par le rapprochement du front russe qui entraîna l'évacuation du camp d'Auschwitz...

... Et la disparition de Clauberg.

Berlin, 1955... Un petit homme amaigri pénètre discrètement en secteur britannique. Dans deux grosses valises, toute sa richesse : des manuscrits, des documents, ses secrets; Clauberg a été libéré par les Soviétiques. Il a encore des amis, des protections; il s'installe et classe ses notes. Il doit publier le plus rapidement possible, peut-être sous un autre nom, ses travaux. Il va sauver les femmes qui ne peuvent avoir d'enfants. On va se bousculer à ses conférences. D'abord trouver du personnel. Les petites annonces? Pourquoi pas! Les lecteurs d'un grand quotidien allemand purent lire dans la colonne offre d'emplois :

URGENT

Le professeur, docteur en médecine, Karl Clauberg
Recherche
plusieurs excellentes dactylos,
qui, soit en chômage (ce qui est improbable) ou disposant de moments de liberté le soir en particulier voudraient travailler pour lui deux ou trois heures par jour. S'adresser immédiatement : (de 9 à 10 ou de 19 à 20, dimanche compris) clinique universitaire, section chirurgie (station privée, chambre 1). Possibilité de place stable pour les meilleures d'entre elles. Dans ce cas, elles l'accompagneraient en voiture à travers l'Allemagne, tous frais payés.

Inutile de dire que d'anciens déportés d'Auschwitz lurent cette petite annonce. Le comité des anciens du camp, et de nombreuses associations ou amicales de déportés réclamèrent justice. Clauberg fut arrêté à Kiel. Avec mauvaise grâce, la justice fédérale allemande ouvrit le dossier Clauberg. Les mois passèrent.

Des amis puissants le firent enfermer dans une clinique psychiatrique :

— C'est un fou dangereux...

Les médecins conclurent à sa « totale responsabilité »; il réintégra sa cellule. Le procès va avoir lieu en octobre mais il est repoussé pour la troisième fois. Son troisième avocat, Von Pfründt a introduit une demande d'instruction supplémentaire. Le procureur est sincèrement embarrassé. Il a cherché en vain un expert « au passé sans tache ». Tous les pressentis se sont récusés. Le dossier d'accusation, bien qu'épais, ignore la plupart des crimes du docteur. Ne seront jugés que « cent soixante-dix cas de sévices graves et quatre de mortel »... de nouveaux témoins se font connaître... le temps passe. Un beau matin, Karl Clauberg est retrouvé pendu dans sa cellule. L'enquête officielle conclut au suicide; mais des journalistes allemands laissent entendre que de puissantes sociétés chimiques, des laboratoires pharmaceutiques pour qui Clauberg « en d'autres temps » avait travaillé désiraient « acheter son silence ».

Qui a tué Clauberg? Peut-être tout simplement Clauberg lui-même.

Victor Brack, le champion de la stérilisation par rayons X, fut condamné à mort à Nuremberg et exécuté. Le chapitre « stérilisation » fut très vite classé; il n'était pour le tribunal qu'une parenthèse dans l'action criminelle de Brack qui avait « administré »

le plan d'euthanasie et provoqué plus de deux cent cinquante mille assassinats. La défense de Brack fut enfantine :

— En les stérilisant, on les sauvait de la mort!

La déposition vaut la peine d'être lue.

— Pendant l'été de 1941, un de mes collègues du service de Bormann vint à la chancellerie du Führer et me déclara qu'on avait l'intention de trouver une solution radicale au problème juif. Seul Martin Bormann pouvait être l'instigateur de ces plans. La chose était très dangereuse, car ce que nous savions de son caractère nous donnait à penser que l'exécution en serait impitoyable. Personne en Allemagne ne pouvait s'opposer à Bormann. Hitler seul lui donnait des ordres. On pouvait supposer qu'après la guerre, beaucoup de pays européens s'adapteraient à la législation allemande sur les Juifs. Ainsi, pour les Juifs d'Europe centrale il serait impossible de continuer à vivre, et il fallait leur trouver une nouvelle patrie. L'établissement des Juifs à Madagascar avait l'avantage de supprimer la pomme de discorde constituée par la Palestine. Hitler refusa ce plan. Lorsqu'on m'adressa à Himmler, en janvier 1941 pour discuter avec lui de l'euthanasie, je ne savais pas qu'Himmler s'occupait à ce mement de découvrir une méthode efficace et bon marché de stérilisation.

— Au cours de la conversation, Himmler me dit que le danger juif en Allemagne s'aggravait du fait du mélange du sang des Juifs polonais avec celui des Juifs d'Europe occidentale, et me fit part de son intention de stériliser les Juifs d'une façon massive; il me demanda si cela ne pouvait pas être fait par les rayons X. Cette communication de Himmler m'impressionna beaucoup; d'après ce que je connaissais de lui, il m'était impossible de penser que cette idée destructrice pouvait émaner de son esprit, je pensai à Heydrich ou à Bormann, et je sentis l'obligation de faire mon possible pour prévenir cette action. C'est pourquoi je prétendis être d'accord pour m'informer de la possibilité de stérilisation massive par les rayons X.

Victor Brack oubliait ses lettres à Himmler où il proposait toujours plus qu'il ne lui avait été réclamé.

Le tribunal de Nuremberg acquitta plusieurs médecins allemands qui avaient entrepris la réalisation d'une troisième « méthode de stérilisation ».

L'affaire « Caladium » commence en 1941 par la publication dans le journal allemand de Médecine Expérimentale, d'un article signé du docteur Madaus, propriétaire d'une firme pharmaceutique qui mettait au point des médicaments nouveaux à partir de plantes. Madaus expliquait comment le Caladium Seguinum extrait de la sève d'une plante d'Amérique du Sud, la schweigrohr, provoquait la stérilisation des animaux. Une plante d'ailleurs qui était connue de « tous les sorciers » de la forêt vierge, habitués à dissimuler cette potion magique dans la nourriture de leurs ennemis pour les priver de leur virilité et de leur descendance.

De nombreux médecins lurent avec intérêt cette étude. L'un d'eux ne put s'empêcher de la signaler à Himmler.

— Je [1] me suis rendu compte de l'immense importance de ce médicament dans la lutte présente de notre peuple. Nous aurions une arme nouvelle et puissante à notre disposition, il serait possible de provoquer une drogue capable après un temps relativement court, de produire une stérilisation secrète sur des êtres humains. La seule pensée que les trois millions de Bolcheviques actuellement prisonniers en Allemagne pourraient être stérilisés et ainsi continuer à travailler sans se reproduire, ouvre les plus grandes perspectives...

Pokorny demanda alors à Himmler, s'il approuvait ses idées, de prendre les dispositions suivantes :

1° Le docteur Madaus ne doit plus publier de tels articles.

2° On doit produire en grand la plante (on peut la cultiver facilement en serres).

3° On doit commencer des recherches immédiates sur des hommes (criminels) de façon à déterminer la dose et la longueur du traitement.

4° Rechercher si on peut produire synthétiquement une « substance chimique égale ».

1. Lettre du professeur Adolf Pokorny. Authentique savant inventeur de thérapeutiques nouvelles en dermatologie.

Himmler relut la lettre, la frappa de ses initiales et inscrivit dans la marge : Dachau.

Quelques mois plus tard, l'adjoint du Gauleiter du Bas-Danube, adressait à son Reichsführer une lettre identique. Il proposait d'expérimenter sur des déportés du camp de Lackenbach et concluait :

— Il serait certainement intéressant d'étudier la science des cultes anciens et des castes de prêtres en ce qui concerne la puissance génitale humaine et la fécondité. Les populations des premiers âges du monde, proches de la nature, avaient et ont encore une connaissance très grande de ce sujet; sans que ces connaissances soient connues de la Science.

Il est à parier qu'à la suite de cette lettre les « penseurs » de l'Ahnenerbe se penchèrent sur les « magies » de nos ancêtres.

Que se passa-t-il ensuite? La plante fut cultivée dans des serres à Dachau, des centaines d'expériences sur les animaux furent pratiquées : les effets du caladium équivalaient à une castration. Le tribunal de Nuremberg libéra Pokorny :

« Aussi horribles et viles que soient les propositions contenues dans la lettre, il n'y a aucune preuve qu'on ait jamais pris des mesures expérimentales pratiques. L'accusé doit être acquitté non pas en vertu de la défense proposée [1] mais malgré elle. »

Le tribunal a certainement conclu trop vite : il n'a pas recherché de « victimes » dans les survivants de

1. Adolf Pokorny avait déclaré au tribunal qu'il voulait aiguiller Himmler sur une fausse voie...

Dachau. J'ai retrouvé en 1967 un ancien déporté, français, habitant Brest : M... K... stérilisé à Dachau.

— Pendant neuf jours on m'a fait une piqûre matin, midi et soir au-dessus du sein gauche...

Les effets de ces piqûres correspondent aux résultats obtenus sur des animaux stérilisés au caladium dans les laboratoires Madaus.

Peut-être ne s'agit-il pas d'une coïncidence!

XIII

LA GUERRE ARCHAIQUE

L'Ahnenerbe triomphait... La Société pour l'Héritage des Ancêtres s'implantait pour la première fois, matériellement, dans un camp de concentration. Finis les intermédiaires! Plus personne ne viendrait mettre le nez dans les recherches réclamées par le Reichsführer. Oh! les laboratoires étaient un peu ridicules : une barraque-hangar de 196 m de long sur 7 m de large, mais il fallait bien un début. Le camp de Natzweiler, proche de Strasbourg où venait de naître autour du professeur Hirt la « première université SS », était un bon choix, pour cette implantation. Le camp placé en dehors des circuits touristiques traditionnels pour hautes personnalités et commissions spécialisées, n'attirerait pas les regards et les questions. De plus, Hirt, à la botte, aux ordres, à la pointe de la nouvelle morale ne sombrerait pas dans les scrupules. Décidément oui, un excellent tremplin pour le bond en avant nécessaire à toute victoire. Et si cette victoire les alliés la trouvaient dans une arme du passé? « Stupide » aurait répondu Hitler, habitué à répliquer à ses officiers généraux qui prévoyaient régulièrement des bombardements aux gaz de combat :

— Allons donc... Qui oserait revenir à cette guerre archaïque!

Himmler ne partageait pas cet avis. Les « tacticiens en chambre » de l'Ahnenerbe et les espions de l'Abwehr le persuadaient régulièrement de l'imminence d'une attaque. Il prit sa décision :

— Hirt fera l'affaire. Il a déjà entrepris des recherches à Strasbourg sur les animaux.

Sievers, au nom de l'Ahnenerbe écrivit à Hirt :

« ... Nous sommes certains de pouvoir mettre à votre disposition, pour la continuation de vos travaux, des facilités exceptionnelles en rapport avec nos expériences secrètes spéciales [1] actuellement pratiquées à Dachau. Pouvez-vous adresser au Reichsführer SS un rapport sur l'Ypérite [2]. »

---

1. Celles de Rascher sur les hautes altitudes et le froid. Sievers avait présenté ces expériences à Hirt au cours d'une rencontre. Hirt comprenait facilement en lisant ces phrases ambiguës que les « facilités exceptionnelles » prévues signifiaient l'attribution de matériel humain.

2. Ypérite : sulfure d'Ethyle Dichloré utilisé comme gaz de combat pendant la première guerre mondiale. Il doit son nom à la ville d'Ypres (en flamand Yperen) qui reçut les premiers obus toxiques.

Hirt n'allait pas se faire prier.

Il descendit de sa voiture et pénétra dans la station Ahnenerbe de Natzweiler. Il ressortit et se dirigea vers l'infirmerie du camp qui occupait une partie de ce même bâtiment. Nu tête, pantalon de golf, chaussettes grises et souliers jaunes le professeur Hirt examina une cinquantaine de « convalescents ».

— Il [1] y avait deux chambres dans la station. Dans chacune d'elles, on mit quinze hommes qui avaient été choisis par Hirt, pour leur bonne condition physique.

Pendant quinze jours, les déportés sont fortifiés, gavés de nourriture : ils reçoivent les mêmes menus que les officiers SS. Quatre nationalités sont représentées : Russes, Polonais, Tchèques et Allemands. Hirt a vraiment tenté de les convaincre d'accepter « volontairement » l'expérience. Tous ont refusé.

— Hirt [1] fit déshabiller complètement les prisonniers. Ceux-ci vinrent l'un après l'autre au laboratoire. J'eus à leur tenir le bras et une goutte de liquide fut déposée environ dix centimètres au-dessus de leur avant-bras. Les gens qui avaient été traités de cette façon furent dirigés dans une autre pièce où

1. Témoignage de Ferdinand Holl, déporté allemand qui surveillait la station Ahnenerbe. Holl s'était réfugié en France en 1935. Il avait été arrêté par la Gestapo en 1940. A la fois Kapo et infirmier en chef il fut un témoin capital de l'accusation au procès des Médecins.

ils durent rester une heure debout avec leur bras étendu. Environ dix heures après des brûlures commencèrent à apparaître et s'étendirent au corps entier. Quelques-uns devinrent même partiellement aveugles. Ils souffrirent terriblement, d'une façon difficilement supportable. Il était presque impossible de rester près d'eux... C'est au terme du cinquième ou sixième jour que la première mort survint. Le jour suivant sept moururent.

Un ancien détenu de Natzweiler, Hendrick Nales, a confirmé le témoignage de Ferdinand Holl.

— Je n'ai vu que trois morts... Dès le début de l'expérience la plupart perdirent connaissance. Vingt-quatre heures après, ils étaient couverts de plaies. Leurs bras étaient rongés ainsi que les parties de leur corps touchées par leur bras. Ils furent plusieurs jours sans connaissance et devinrent aveugles.

Le second volet de l'expérimentation se déroula dans la chambre à gaz :

— Hirt donnait à chaque sujet une petite ampoule. Il devait l'emporter dans la chambre à gaz qui se trouvait à cinq cents mètres du camp environ. Deux personnes entraient dans la chambre en même temps. Bien entendu les portes étaient verrouillées. Un des prisonniers devait écraser les ampoules et ainsi inhaler le gaz qui s'échappait. Ils perdaient connaissance, revenaient à eux et retournaient à l'Ahnenerbe... J'ai vu les poumons de ces gens qui avaient été disséqués. Ils étaient de la dimension d'une demi-pomme, complètement mangés et pleins de pus. En une année, cent cinquante déportés approximativement furent traités de cette façon... Avec le gaz liquide Hirt expérimenta sur cent vingt personnes.

Combien de morts? Holl ne peut fournir que des estimations.

— Entre trente et quarante pour cent.

Les expérimentations sur un autre gaz, le Phosgène [1] avaient été confiées à un professeur d'université : Otto Bickenbach. Il avait étudié les effets du gaz sur des chats et des chiens et découvert qu'un médicament : l'urotropine protégeait efficacement contre les effets asphyxiants du phosgène.

— Courant [2] 1943, Hirt me fit savoir qu'Himmler m'avait donné l'ordre de procéder à l'expérimentation de l'urotropine sur des hommes. J'ai objecté que l'efficacité du moyen de protection que j'avais trouvé était scientifiquement et expérimentalement établie. Je tenais à expérimenter préalablement sur moi-même. Hirt en référa à Himmler qui me le fit défendre, tout en me donnant l'injonction de procéder aux expérimentations demandées sur du matériel humain.

Il me fut assuré à cette occasion que les individus qui devaient servir de cobayes avaient été condamnés à mort par une décision régulière de justice. Je me trouvais devant un cas de conscience tragique, car

1. Combinaison de chlore et d'oxyde de carbone.
2. Déposition du professeur Bickenbach reçue par le capitaine Margraff, juge d'instruction militaire à Strasbourg le 6 mai 1947.

Hirt m'avait déclaré que Himmler m'avait donné cet ordre en ma qualité d'officier, que je ne pouvais m'y soustraire, alors que ma conscience de médecin m'interdisait de procéder à de telles expérimentations. Je me suis donc rendu à Berlin, afin de consulter le professeur Brandt, médecin personnel du Führer et délégué général de celui-ci pour les questions de santé et d'hygiène. Je lui exposai mes hésitations, lui demandant d'intervenir auprès de Himmler. Je lui déclarai également que, scientifiquement, les expérimentations humaines n'étaient pas nécessaires puisque les essais sur des animaux avaient prouvé l'efficacité du produit...

... A ce moment, la situation militaire était mauvaise pour le Reich. Les Alliés avaient débarqué en Afrique et l'Abwehr avait eu connaissance, ainsi que j'en avais été informé par mes chefs, de cinquante mille tonnes de phosgène entreposées en Afrique. La guerre des gaz semblait inévitable. Le commandement suprême de la Wehrmacht était convaincu que les Alliés seraient obligés de recourir aux gaz pour venir à bout de la « forteresse Europe ».

C'est dans ces conditions que j'ai finalement procédé en 1943-1944, aux expérimentations qui me sont reprochées. J'ajoute que malgré la défense de Himmler, j'avais au préalable, à la chambre à gaz du Fort Ney, opéré sur moi-même. J'ai procédé à deux séries; sur quarante sujets la première fois, sur quatorze la seconde. La première fois il n'y eut pas de décès; un seul individu fut malade. Au cours de la deuxième expérience quatre sont morts. J'attribue la cause de ces décès à leur état physiologique déficient...

... Je reconnais que les expérimentations sur du matériel humain sont contraires à l'éthique du médecin. J'y ai procédé malgré tout et surtout parce que. en conscience, connaissant les horreurs de la guerre des gaz, et sachant que la population allemande n'était pas protégée, j'estimais de mon devoir de tout faire pour assurer cette protection et sauvegarder le cas échéant, la vie de milliers d'Allemands, surtout les enfants et les femmes; en plus, il y avait l'ordre d'Himmler.

Otto Bickenbach développa cette « thèse » devant les jurés des Assises de Metz au mois de décembre 1952. Il chargea les absents, Hirt et surtout Himmler :

— ... J'étais officier... Le bien de l'Allemagne l'exigeait... Je ne me suis occupé que de la partie technique... Les sujets témoins, non protégés contre le gaz recevaient tout de même une injection de sel de cuisine; ainsi ils ne s'effrayaient pas... A l'issue de l'expérience, ils durent monter, ceux du moins qui étaient encore en état de le faire, à pied au camp. Ceci avait été exigé formellement par Himmler. Il avait demandé qu'après l'absorption des gaz, les sujets courent, sautent afin de connaître l'incidence de l'épreuve sur leurs qualités physiques et sur leur aptitude au combat immédiat...

Le 23 décembre, il était condamné aux travaux

forcés à perpétuité. La chambre criminelle de la Cour de Cassation rejetait le jugement de Metz, des témoins cités à sa requête n'avaient pas été entendus. Au mois de mai suivant, un nouveau procès s'ouvrait à Lyon. Le commandant Brun, commissaire du Gouvernement réclama pour Bickenbach et Haagen [1] qui étaient jugés en même temps, la peine de mort :

« Haagen et Bickenbach pour les détenus de Struthof n'ont jamais eu le visage de médecins, mais celui de bourreaux. On a dit que les Français avaient la mémoire courte. C'est vrai parfois, mais il y a des faits que nous ne devons pas oublier. C'est pourquoi, au nom de toutes les souffrances que ces individus ont accumulées, je requiers contre Haagen et Bickenbach la peine de mort. »

Après les plaidoiries des avocats, le tribunal rend sa sentence : vingt ans de travaux forcés à chacun des accusés...

Plusieurs journaux français titrèrent « Scandaleuse décision » puis les hommes oublièrent, Bickenbach également. A sa libération il s'embarqua pour une destination inconnue.

1. Expérimentateur sur le typhus. Voir chapitre XVI.

XIV

L'ACTION « PARATONNERRE »

— Puisque je vous dis que je ne veux pas. C'est impensable. Une arme à double tranchant. Un boomerang qui peut vous revenir plus vite que vous l'avez lancé.

Hitler condamnait sans appel la « guerre bactérienne », non par souci d'humanité mais parce qu'il était persuadé que les ennemis du Reich n'oseraient jamais employer les premiers cette arme terrifiante, mais incontrôlable. Il accepta qu'une association se constitue pour préparer des mesures défensives.

— Nous devons agir comme un paratonnerre.

Hitler venait [1] de trouver le nom du Comité chargé de prévenir les attaques bactériennes.

---

1. Hitler employa bien le mot : Blitzableiter.

⁂

Le jour de la libération de Paris, des soldats américains arrêtèrent dans un cimetière un groupe de combattants allemands qui surveillaient une tombe. Des officiers du service de renseignements médical américain découvrirent :

— Un [1] véritable central de guerre bactérienne. Il y avait là de quoi répandre des maladies dans tout Paris. Les Allemands furent capturés alors qu'ils attendaient près de leur appareil de radio à ondes courtes, l'ordre de déclencher l'action. Ils voulaient utiliser le taboun [2] qui rend les hommes fous et des bactéries de la peste.

Cette guerre spéciale ressemble fort au monstre du Loch Ness. Quel est le gouvernement, le stratège, qui n'a jamais envisagé, perfectionné, l'utilisation des microbes... en laboratoire? Depuis le jour où l'homme

1. L'amiral Ellis, M. Zacharias assumait pendant la seconde guerre mondiale, les fonctions de chef du Service de Renseignements de la Marine. Il a fait cette déclaration le 20 mars 1949 sur une chaîne de radio new-yorkaise.

2. Le taboun, gaz incolore et presque inodore attaque le système nerveux de l'homme en pénétrant par les poumons ou par les yeux et provoque la mort en l'espace de une à cinq minutes. Si les yeux et les voies respiratoires sont protégés, le taboun peut s'infiltrer dans les vêtements pour être ensuite absorbé par l'épiderme, amenant la mort dans un délai de dix minutes à deux heures. A l'époque on ne connaissait aucun antidote efficace.

de la préhistoire découvrit les propriétés mortelles de certaines plantes et empoisonna l'eau des puits de son adversaire, chaque tribu, chaque état-major prépara la « guerre des maladies ». Jamais cependant un pays n'inventa autant d' « astuces » que l'Allemagne d'Hitler. Mais me direz-vous, le Führer ne croyait pas à la nécessité de posséder une telle arme. Bien sûr, mais Himmler « sage parmi les sages », prévoyant ombrageux, accepta de réunir les pions de cette force de dissuasion avant la lettre, à la demande de certains médecins. Il réclama même des expériences humaines sur la peste. Aucun tribunal militaire n'a pu apporter la preuve de la réalisation de ces expériences, mais un fait est à souligner : le médecin général Schreiber, professeur à la Faculté de médecine de Berlin, chargé de la direction scientifique du Service de Santé de l'Armée voulut soulever le problème de cette guerre à Nuremberg.

— Au cours de la guerre il s'est produit, du côté allemand, des faits contraires aux lois immuables de l'éthique médicale. J'estime que, dans l'intérêt du peuple allemand, de la science médicale allemande et de la formation des jeunes génération médicales, il est nécessaire de tirer cela au clair. Il s'agit de la préparation de la guerre biologique, qui a provoqué des épidémies et des expériences sur des êtres humains. J'ai attendu de savoir si ce tribunal ne soulèverait pas de lui-même la question. Quand j'ai vu que cela ne se produisait pas, je me suis décidé à faire cette déclaration.

Il faut reconnaître qu'après la lecture de ces lignes on peut difficilement condamner l'ensemble du corps médical allemand. L'attitude des « autres » n'en est d'ailleurs que plus incompréhensible. Schreiber poursuit :

— En mars 1945, je reçus la visite du professeur Blome [1] dans mon bureau de l'Académie de Médecine militaire. Il venait de Posen et était très agité... Il avait été chassé de son Institut par l'avance des troupes soviétiques. Il avait essayé de détruire ses laboratoires avec une bombe de Stuka, mais la charge n'avait pas explosé. Il s'inquiétait fort d'avoir laissé subsister des installations destinées à des expériences sur des êtres humains.

Le professeur Kliewe, directeur du centre de la guerre biologique à l'Inspection générale du Service de Santé de la Wehrmacht, se battit pendant toute la durée de la guerre pour faire accepter à son Führer l'idée de la guerre bactérienne. Il ne manquait pas d'arguments; dans un premier rapport il citait même un article de la revue britannique *Dix-neuvième siècle* qui dans son numéro de juillet 1934 reproduisait des documents affirmant que le 18 août 1933 à 14 h 47, des agents allemands avaient étudié la dissémination du Bacillus Prodigiosus, place de la Con-

1. Président de l'Association des Médecins du Reich, chargé de la direction de l'opération « Paratonnerre ».

corde et place de la République, l'aspiration d'air aux bouches de métro et la ventilation dans les couloirs et les tunnels. Décidément Paris était au cœur du problème!

Kliewe en bon avocat, citait des précédents :

— En 1916, l'ambassade d'Allemagne à Bucarest déménagea et abandonna ses bureaux aux services consulaires des Etats-Unis. Le premier secrétaire de l'ambassade assista à la fouille des jardins où l'on découvrit dans une boîte enterrée cinq tubes de cultures pathogènes pour le bétail.

— L'année précédente, une épidémie de choléra décima deux régiments russes en Galicie. Des puits avaient été empoisonnés.

— L'Armée allemande en retraite (1917) abandonna des cultures microbiennes que devaient découvrir les Français.

— Près de la moitié des chevaux de l'Armée d'Orient furent contaminés par la morve et abattus, etc. de nombreux agents furent arrêtés. L'Armistice mit fin à ces pratiques. L'arme bactérienne n'est considérée par personne comme une « hypothèse ».

L'homme qui, en 14-18, voulait à tout prix imposer cette forme de guerre, récidiva en 1941. Il inonda les maîtres du Reich de lettres, de rapports, de conclusions. Il était médecin-colonel et s'appelait Winter :

— En avril 1916, alors que j'étais médecin au quartier général du 21e corps d'armée, je soumis au ministère de la Guerre un mémorandum sur la guerre bactérienne et suggérai une attaque sur Londres et les ports anglais avec l'arme la plus efficace et la plus terrifiante : le bacille de la peste... Je me rendis auprès de l'adjoint du directeur du Service de Santé de l'Armée. Après avoir écouté en silence, il me congédia en disant que si nous prenions cette mesure, nous ne serions plus dignes d'exister en tant que nation. Une fois de plus, l'Allemagne se trouve au milieu d'une lutte sans merci. Il n'y a pas de retour en arrière possible. La lutte contre un tel ennemi exclut toute pitié et tous les traités deviennent nuls; cela s'applique également aux échanges de notes entre la Grande-Bretagne et l'Allemagne selon lesquelles, en accord avec le protocole de Genève du 27 juillet 1925, les deux pays se sont engagés à ne pas utiliser des gaz ou des bactéries dans la guerre. L'arme bactérienne cependant sera le seul moyen de combattre efficacement les Anglais et les Américains sur leur propre sol. Actuellement le nombre des opposants à une guerre bactérienne est encore élevé, moins à cause des raisons morales que par manque du sens de la responsabilité et par peur. La guerre totale ne permet pas de considérations morales. Elle connaît seulement la loi de détruire l'ennemi à tout prix et par tous les moyens qui offrent une chance de succès.

Magnifique profession de foi! Ce n'est pas tout. Après avoir démontré la résistance de plusieurs bacilles « efficaces et reproductifs » malgré un mois de vie au grand air, Winter poursuit :

— J'ai travaillé soigneusement aux détails de la technique nécessaire que je ne décrirai pas ici pour la raison du secret. Le plan ultérieur doit être remis à une commission technique dans laquelle il n'y aura pas de place pour les âmes timorées à préoccupations professorales et scientifiques ou objections humanitaires. Une telle action réclame des hommes résolus, déterminés à tout risquer pour leur pays. Dans une lutte pour la vie, je cite le comte Rebenklow, on ne doit pas s'arrêter aux armes qu'on utilise ni aux valeurs qu'on détruit. La seule considération est le succès de la lutte. Après la paix, viendra la réparation des dommages. Je désire également préciser que la guerre bactérienne possède l'avantage du bon marché. Nous pourrions utiliser le bacille de la peste, qui est le plus dévastateur de tous.

Et comment donc! Ainsi soit-il! Kliewe brandit son paratonnerre-parapluie et répond :

— Ces réflexions sur la guerre biologique écrites sous le coup d'un ardent amour de la patrie, contiennent des suggestions bien connues qui ont été discutées par les experts. Que la guerre bactérienne soit déclarée sous cette forme ou sous une autre, ou pas du tout, cela dépend du Führer.

— J'en ai un!

— Moi je n'ai pas de chance. Rien. Toutes ces sales bêtes sont devenues invisibles.

Les soldats repartirent à croupetons dans les champs de Speyer. Quelques minutes auparavant un avion venait de larguer dans le ciel, la première bombe à doryphores de l'Histoire. Les « Services scientifiques » de l'Armée répétaient l'opération Bordeaux. Des milliers de parasites seraient lâchés au-dessus du vignoble et sur les cultures environnantes si l'expérience Speyer réussissait. Six heures après que les containers à doryphores aient touché le sol, les résultats n'étaient guère encourageants :

— Nous en avons retrouvé vingt-trois.

La chasse reprit. A la tombée de la nuit les officiers baissaient les yeux. Sur les quatorze mille doryphores qu'ils devaient ramasser, treize mille neuf cent quarante-trois s'étaient volatisés.

— Cinquante-sept présents mon colonel!

Les pommes de terre du Bordelais et de la Grande-Bretagne venaient d'échapper à une mort cruelle. Le comité « Paratonnerre » ne désarma pas. Les services vétérinaires des troupes d'occupation en France furent chargés de récolter plusieurs milliers de ces coléoptères friands de nos seules pommes de terre. Le comité allait affamer la Grande-Bretagne! Comment? En expédiant des doryphores aux prisonniers allemands de Churchill. Conclusion laconique du rapporteur (professeur Kliewe) :

— L'envoi de doryphores de France à des prisonniers de guerre a été essayé. Les doryphores étaient morts en arrivant. Les prisonniers de guerre ont été punis.

⁂

Au mois de juillet 1942, le professeur Kliewe dirigea un nouveau bombardement aux environs du terrain d'aviation de Munsterlager.

— Cent cinquante litres de bouillon avec du Bacillus Prodigiosus comme stimulant furent lâchés d'une hauteur de cinq cents mètres à l'aide d'une bombe à retardement. Ils se répandirent sur une surface de mille mètres sur quatre cents mètres. Ils ne poussèrent pas. Tous les germes furent emportés par le vent. Seconde expérience : une lessive de sciure de bois et de cellulose fut lâchée à l'aide d'une bombe à retardement (dispersion deux cent trente mètres sur cinquante mètres). Dans la troisième série, quatre bombes à fragmentation remplies de paille de deux à dix centimètres de longueur, éclatèrent à une altitude de cent cinquante mètres : la surface couverte fut de quatre-vingts mètres à cent quatre-vingts-mètres.

Le chimiste Heinrich Schmitt proposa à son Führer le moyen infaillible d'écraser la Russie :

— Il suffit d'infecter tous les prisonniers russes en leur inoculant avant leur libération une maladie grave qui ne se déclarerait que deux semaines plus tard.

Kliewe répondit :

— Il n'existe pas d'agent connu remplissant ces conditions. Le retrait subit de plusieurs millions de travailleurs atteindrait durement notre production.

Si Hitler avait déclenché la guerre bactérienne,

voici la liste impressionnante des fléaux qui nous menaçaient:

— L'attaque se portera sur la ligne du front dans le seul cas où nos troupes seront suffisamment protégées par la vaccination. La guerre bactérienne peut être utilisée le long de ce front lorsque certaines régions sont abandonnées. Dans ce cas des rongeurs infectes avec la peste ou de la tularémie peuvent être lâchés. Les puits peuvent être pollués avec des agents du choléra, de la typhoïde ou de la dysentrie; la nourriture avec des bacilles paratyphoïques ou botuliniques; le fourrage des chevaux avec des bacilles de l'anthrax ou de la morve. Les forteresses isolées, les centres de production militaire, les ports fournissent d'excellentes occasions aux attaques bactériennes. Mais il ne faut pas oublier que ce genre de guerre est d'abord destiné aux civils et à toutes les troupes stationnées dans les zones de l'arrière. »

— Tout ce matériel sera expédié par avion : suspensions, nébulisations, constitutions de nuages artificiels et évidemment bombardements et parachutages de containers. Pour la peste, par exemple, les cages parachutées qui contiennent les rats infectés, s'ouvrent automatiquement au contact du sol.

Continuons la lecture des études du comité « Paratonnerre » :

— En général, les saboteurs travaillent avec de petites quantités de matériel infectieux. Dans des circonstances favorables et en collaboration avec des personnes habitant en pays ennemi, des infections massives peuvent être produites, particulièrement dans les parties mal gardées des villes et sur des populations fragiles. En pays ennemi, l'utilisation d'agents et de saboteurs est prévue comme suit :

1° Jeter des ampoules contenant des pulvérisations d'organes d'animaux infectés (anthrax, fièvre de Malte, tularémie, peste) dans les tunnels de métro, les gares, les toilettes publiques ou pendant la nuit, dans les rues, sous les porches, etc.

2° Utiliser de la même manière toutes les poudres bactériennes ou les suspensions. Ces germes, comme les agents de la typhoïde, de la dysentrie, du choléra, peuvent être déposés au moyen de compte-gouttes sur les boutons de portes, les serviettes éponges, les oreillers, les sièges arrière des voitures de première classe et de deuxième classe ou bien sur la nourriture, particulièrement la bière, le lait, la poudre de pudding et dans l'eau destinée aux bains.

3° Les conduites d'eau [1], les puits dans les villes, les villages, les usines de guerre, peuvent être infestés avec des préparations contenues dans des ampoules ou des containers réfrigérés.

4° Des poux infectés par le typhus peuvent être lâchés dans des lieux publics : cafés, cinémas, théâtres.

5° Des excréments de poux typhiques peuvent être

1. Un plan spécial avait été préparé pour Gibraltar. Des « espions » avaient relevé le tracé de toutes les conduites.

mélangés à de la poudre ou à des cendres de cigares pour être dispersés dans les W.C., les théâtres, les restaurants, les salles de réunion, les salles de séchage, les blanchisseries, etc.

6° Le virus de la fièvre aphteuse trouvé sur des particules épithéliales et desséché sur de la paille hachée sera transporté dans les pâturages ou les étables. Des éclats de verre, des particules métalliques peuvent être ajoutés à la nourriture.

7° On peut enduire les naseaux, la bouche et les yeux des chevaux et des ânes avec des suspensions de bacilles de la Morve. On peut enduire avec ces suspensions les auges, les seaux, les peignes, les brosses des écuries.

8° On peut délivrer gratuitement aux soldats des bonbons et des cigarettes infectés.

9° Injection de la toxine butolinique dans les boîtes de conserves, des saucisses, de la viande fumée, du lard, du fromage, de la marmelade.

10° Infecter la pâte dentifrice en tubes et les brosses à dents avec des bacilles de la typhoïde.

On n'en finirait pas d'énumérer les trouvailles pour traiter les sucres, les matériaux de construction, les vêtements, les cigarettes. Bien souvent, dans les rapports découverts par les Alliés dans l'appartement du professeur Kliewe, on peut lire des phrases comme celle-ci :

— Un usage [1] massif de l'arme bactérienne ne s'est

1. Rapport du 21 septembre 1943 destiné au Service de Santé des Forces Armées.

pas encore produit mais l'activité des agents s'est accrue considérablement avec des bactéries et du poison. Nous en avons des exemples.

Faut-il en conclure que des expériences furent tentées en France, en Grande-Bretagne, à l'Est. Les tribunaux médicaux ont glissé sur ce délicat problème, chaque pays ayant mis au point pendant la guerre un programme « bactérien [1] ». Il est même possible qu'à

1. Aux Etats-Unis, à la demande de leur gouvernement, les docteurs Théodore Rosebury et Elvin Kabat rédigèrent un rapport sur les effets qui pourraient être obtenus par l'emploi d'armes bactériologiques. Tout d'abord les auteurs éliminent méthodiquement les maladies qui ne se prêtent pas aux attaques... leur rendement étant faible et incertain : la lèpre (période d'incubation trop longue), la petite vérole (trop de gens sont vaccinés), la tuberculose (pas assez contagieuse et trop lente), la peste bubonique (la puce qui la répand est trop fragile), la gangrène gazeuse, etc. Par contre sont retenues comme armes susceptibles d'une application pratique les bactéries ou toxines de certaines maladies moins répandues ou moins connues : le botulisme, la maladie de Weil, l'anthrax, la peste pneumonique, etc. La toxine botulique, par exemple, est de loin le plus puissant des poisons gastro-intestinaux. Elle tue en quelques jours 60 à 70 % de ses victimes. Introduite dans les sources d'eau potable, elle permettrait d'anéantir des populations entières avant qu'aucune mesure de protection pût être prise. Selon le professeur canadien Carter, cinquante grammes de toxine botulinique suffiraient pour exterminer tous les habitants d'un hémisphère et cinquante grammes de toxine tétanique pour provoquer la mort de cent millions d'individus. L'anthrax pulmonaire, presque infailliblement fatal, ne peut prendre pied que sur des muqueuses déjà irritées. Son germe pourrait donc « avantageusement » être utilisé conjointement à l'ypérite. Comme forme d'emploi des bactéries et virus proposés, on suggère des suspensions liquides ou des préparations sèches placées dans des ampoules de verre contenant un générateur de gaz susceptible de disperser les germes pathogènes dans un certain rayon autour du point de chute. Quoique se cantonnant sur un terrain purement « scientifique » les docteurs Rosebury et Kabat reconnaissent les « conséquences morales monstrueuses » qu'entraînerait l'emploi des armes bactériologiques.

Paris, au mois de décembre 1941, huit cents soldats allemands déjeunant dans le même mess, aient été frappés de fièvre typhoïde. L'épidémie eut réellement lieu et les Services sanitaires de l'Armée conclurent : « sabotage avec des cultures bactériennes ».

— A Posen [1] et à Lublin, dans des restaurants allemands, les garçons recevaient des seringues remplies d'une culture bactérienne liquide et les mélangeaient aux repas de midi ou à la bière. Les seringues étaient fournies par un mouvement de résistance polonais. Plusieurs officiers allemands, ainsi infectés, moururent. La question fut tout à fait tirée au clair. Les inculpés avouèrent et la Cour prononça le verdict nécessaire. J'ai découvert moi-même des bouteilles étiquetées « Nécessaire à polir » et qui contenaient en réalité, je l'ai constaté, des cultures de typhoïde et de choléra.

Mais le grand mystère de cette guerre spéciale restera l'affaire des « ballons japonais »... L'Armée américaine ne dévoilera ce secret que douze ans après Hiroshima et se gardera bien d'aborder le problème bactérien. Le général Wilbur ancien chef d'état-major pour la Défense de l'Ouest américain, révéla en 1957 :

— En bombardant Tokyo le 18 avril 1942, le général Doolittle blessa cruellement l'amour-propre japonais. Cherchant à venger cet affront, les Japonais imaginèrent de lâcher dans les airs des ballons libres

1. Déclaration du professeur Mrugowsky à Nuremberg.

destinés à traverser le Pacifique d'Ouest en Est. Ces ballons emportaient un chargement de bombes incendiaires et explosives qu'un mécanisme spécial devait larguer sur les forêts, les fermes et les villes américaines. Les préparatifs durèrent deux ans. En six mois, de novembre 1944 à avril 1945, le Japon lâcha neuf mille de ces aérostats.

Les engins mesuraient dix mètres de diamètre. Ils étaient prévus pour se maintenir entre dix mille et onze mille cinq cents mètres. Bien que l'ennemi n'exerçât aucun contrôle sur ces ballons — même par radio — on estime qu'un millier environ atteignirent le continent américain. On en repéra de l'Alaska jusqu'au Mexique. Dans les régions nord-ouest des Etats-Unis et dans l'ouest du Canada, on en trouva près de deux cents, plus ou moins intacts. Des débris provenant de soixante-quinze autres ballons furent ramassés en d'autres endroits ou repêchés au large des côtes du Pacifique. Enfin, une centaine au moins de ces engins explosèrent en l'air, si l'on en juge par les éclairs aperçus dans le ciel. »

Il est à peu près certain, aujourd'hui, que plusieurs de ces ballons transportaient des cultures microbiennes. En effet, à cette époque, des centaines de vétérinaires, de médecins, de directeurs et professeurs d'instituts agronomiques furent mobilisés sur place. Les paysans devaient signaler toute maladie de leurs animaux.

Les Américains gardèrent le secret sur ces « bombardements » et les Japonais n'eurent confirmation que d'un seul atterrissage. Un pour neuf mille, l'opération était un échec; ils la stoppèrent en avril 1945. La description de ces ballons intrigua fort douze ans après, des techniciens militaires de tous les pays :

— Le lest comprenait près de trente sacs de sable de trois kilos. Si le ballon venait à descendre au-dessous de dix mille mètres, un système de bascule solidaire d'un baromètre libérait un sac. Une autre commande automatique ouvrait une soupape pour laisser fuir un peu d'hydrogène quand l'aérostat dépassait onze mille cinq cents mètres.

Pourquoi une telle recherche de précision dans la constante d'altitude (on peut larguer les bombes de n'importe quelle hauteur), sinon pour assurer le succès d'une pulvérisation ou d'une nébulisation bactérienne? La question reste posée [1].

---

1. Comme reste sans réponse la question posée à propos des Kamikaze, ces avions-suicide japonais. Les pilotes étaient-ils drogués avant qu'on leur demande de se porter volontaires pour aller s'écraser sur les porte-avions américains avec leur chasseur « zéro » équipé d'une bombe de deux cent cinquante kilos? L'amiral Ohnishi, inventeur de « cette arme humaine » et sélectionneur des « sauveteurs de la patrie » était toujours accompagné de plusieurs médecins. Le 15 août 1945, il se plongea dans le ventre son sabre de Samouraï et agonisa vingt-quatre heures. Il avait expédié au suicide deux mille cinq cent dix-neuf officiers et pilotes japonais.

XV

R. 17
ET POUDRE DE PERLIMPINPIN

Sa casquette frappée de la tête de mort glissait toujours en avant et la visière glacée cachait les petits yeux secs, acides. Moustaches fines, lèvres pincées, oreilles collées, le docteur Grawitz, général SS régna pendant huit ans sur le Service de Santé de la SS et la Croix-Rouge allemande. Brusque, violent, méfiant, — il ouvrait lui-même son courrier, — ne tolérant aucune contradiction — lorsqu'il recevait un subordonné il ne lui laissait jamais prononcer une parole — cet ancien professeur de clinique médicale vivait un drame effroyable : Himmler ne l'aimait pas. L'indispensable Grawitz désirait retrouver la confiance de son Reichsführer et comme il savait que ce dernier se passionnait pour les recherches pseudo-médicales, il cultiva avec zèle cette folie expérimentale. S'il n'était pas aimé du moins était-il accepté. Ne contrôlait-il pas jalousement les recherches scientifiques secrètes?

Le 30 septembre 1943, il adressa à Himmler une note sur une nouvelle pommade contre les brûlures provoquées par le phosphore. Les bombes incendiaires frappaient régulièrement le territoire national et le nombre croissant des blessés civils rendait nécessaire la découverte d'une nouvelle méthode de traitement. La solution au sulfate de cuivre habituellement utilisée était jugée insuffisante. La firme du docteur Madaus rechercha un dissolvant et produisit le R. 17 dont l'efficacité fut démontrée sur des lapins. Il était facile d'appliquer ce médicament sur quelques-uns des milliers de brûlés civils ou militaires allemands. Grawitz préféra demander l'expérimentation dans un camp de concentration :

— Je considère que l'essai de cette pommade sur des civils allemands brûlés au cours de raids de terreur prendrait trop de temps et ne s'appliquerait pas aux méthodes d'essai. De plus, en raison de l'importance du problème, je ne crois pas que les expériences animales produisent des preuves suffisantes; c'est pourquoi je vous demande respectueusement, Reichsführer, d'accorder l'autorisation d'expérimenter à l'hôpital du camp de concentration de Sachsenhausen sur des prisonniers inaptes au travail pour raisons de maladie.

Himmler inscrivit dans la marge : « accordé ».

En définitive, le choix de l'expérience se porta sur Buchenwald où exerçait le docteur Ding :

— Ding [1] était un homme doué, un téméraire sans aucun principe moral, sans convictions religieuses, sans aucune croyance métaphysique. A ma connaissance, il avait rallié les SS par ambition et pour suivre une carrière rapide. Ses connaissances médicales étaient relativement faibles, mais il avait une certaine aptitude à résoudre les problèmes médicaux, lorsqu'il pensait en retirer des avantages personnels. Il désirait se faire connaître dans le monde médical, se faire rattacher à une université et il utilisait tous les moyens d'agrandir sa réputation personnelle. Pendant qu'il était médecin de camp, il commit des actions horribles mais il améliora les conditions d'hygiène et il se montra parfois très bienveillant et agréable avec les prisonniers, mais, par contre, je suis sûr que Ding aurait sacrifié n'importe qui si sa carrière avait été en jeu... Il aimait sa famille, sa femme et ses deux enfants; il s'occupait d'eux du mieux possible, mais à mon avis, il aurait été parfaitement capable de laisser sa famille derrière lui s'il avait eu la possibilité de commencer une nouvelle existence à l'étranger, après la fin de la guerre. Son caractère était plein de contradictions.

1. Portrait objectif brossé à Nuremberg par son secrétaire déporté, Eugène Kogon.

C'est encore à Eugène Kogon que nous emprunterons la description de l'expérience sur cinq déportés allemands :

— J'avais l'impression que l'idée provenait de Ding et qu'il avait obtenu l'autorisation d'effectuer ces expériences. Le docteur Koch de la firme Madaus avait découvert le R. 17 qui fut, plus tard, utilisé par la population lors des attaques par les bombes incendiaires. Par les soins de Koch et du chef de la police de Dresde, le contenu d'une bombe au phosphore fut envoyé à Buchenwald. Des déportés du block 46 qui avaient survécu à d'autres expériences (typhus) se virent appliquer ce phosphore liquide sur les avant-bras... Il en résulta des brûlures sérieuses.

Ding devait dicter son rapport à Kogon. Ce texte a été retrouvé :

— Une mixture de caoutchouc phosphoré est appliquée sur une surface cutanée de sept centimètres sur trois et immédiatement enflammée. Après une ignition de vingt minutes, le feu fut éteint avec de l'eau...

Il est inutile de poursuivre... Les blessures traitées au R. 17, au sulfate de cuivre, à l'huile de foie de morue ou tout simplement à l'eau, furent supportées par les « cobayes » près de deux mois dans des souffrances que l'on peut imaginer, et cela alors que des milliers de civils et même des déportés avaient été brûlés au cours de bombardements.

Himmler, si l'on en croit Gebhardt :

« était hostile à la médecine classique et très accessible à tout ce qui allait des sciences naturelles à la biochimie. »

Grawitz suggéra à son Reichsführer d'essayer des traitements biochimiques et homéopathiques pour guérir les phlegmons. Un biochimiste SS, Theodor Lauer venait justement de découvrir les vertus miracles du potassium phosphorium et les phlegmons pullulaient dans tous les camps de concentration. Himmler ordonna donc que l'on provoque des phlegmons sur des détenus sains. Il aurait été trop facile d'essayer les poudres du docteur Lauer sur des déportés déjà malades.

Heinrich Wilhelm Stoer infirmier au block 1 de l'hôpital de Dachau suivit toute l'expérience.

— Une dizaine de déportés allemands furent infectés avec du pus. Certains étaient traités par les sulfamides ou chirurgicalement, la plupart biochimiquement. Ces derniers moururent tous à l'exception d'un seul.

Le résultat n'était-il pas concluant?

Non! Il fallait essayer encore.

— Le deuxième groupe était constitué par quarante prêtres de toutes nationalités et des frères des Ecoles chrétiennes. Ils avaient été sélectionnés par le médecin-chef Walda et conduits à la salle d'opération où les docteurs Schuetz et Kiesswetter les opérèrent.

Ils étaient bien portants et vigoureux. J'ai vu injecter le pus. Douze devaient mourir.

Grawitz vint sur place constater l'échec de la poudre de perlimpinpin du grand biochimiste SS Theodor Lauer [1].

1. Tous les responsables de ces expériences qui firent près de trente morts se sont suicidés ou ont disparu. Grawitz soumit son rapport à Himmler. On apprend, dans ce texte, que les mêmes essais furent tentés à Auschwitz sur trois déportés qui moururent. A Dachau, Grawitz reconnaît dix morts sur un groupe de trente-cinq cobayes. Les phlegmons purulents, septicémies, furoncles, avaient été traités par le potassium phosphorium, le ferrum phosphorium et le silicea (compte rendu du 29 août 1944). Malgré cela, les expériences se poursuivirent. Les résultats en sont inconnus.

XVI

UN MARTEAU-PILON POUR TESTER UN CASQUE DE FOOTBALL

— Allons! Asseyez-vous sur ces chaises.

Les cobayes du block 46 de Buchenwald attendaient depuis une heure cet ordre. Exténués, tremblants de peur, ils fixaient ces étranges petites boîtes de bois posées sur une table. Ils ne comprenaient pas. Tous étaient nus et leur maigreur les faisait ressembler à un groupe d'écorchés vifs. Pourquoi eux? L'anonyme haut-parleur les avait convoqués à la porte du camp. Ainsi ils ne découvriraient qu'au dernier moment leur véritable destination. Ils pourraient imaginer... le bruit des chaînes les réveilla.

Le block 46 était isolé, entouré de fils de fer barbelés, portes et fenêtres bouclées. Cette construction en pierre, véritable « clinique de luxe », abritait en permanence quatre cents déportés. Le personnel infirmier était nombreux, soumis à une discipline stricte et au mutisme; l'alimentation très riche et variée, la lecture des volumes de la bibliothèque d'Iéna « gracieusement prêtés, recommandée [1] ».

Les occupants-cobayes « sélectionnés » par les bureaux du département politique portaient, en principe, le triangle vert des criminels. Mais le Kapo, certains infirmiers, les médecins même, modifiaient la liste et remplaçaient les noms des victimes désignées par ceux que leur soufflaient leurs amis, leurs protégés, d'autres Kapos, les membres influents du Comité clandestin des déportés. Ainsi dans ce vaste champ clos où chacun luttait pour survivre les clans opposés se débarrassaient de leurs adversaires. Tout le monde pouvait être frappé.

Le Kapo Arthur Dietzsch lança :

— Enchaînez-les.

Les infirmiers entortillèrent les déportés dans de lourdes chaînes bloquées par des cadenas.

Un spécimen diabolique ce Kapo Dietzsch. Il ne se déplaçait jamais sans un immense gourdin et avait toujours à sa disposition des armes et des grenades pour mater toute rebellion.

— Je [2] suis né à Plauen le 2 octobre 1901. Je suis citoyen allemand. Le 1er avril 1920, je suis entré

1. D'après les docteurs Waitz, Ciepielowsky et plusieurs déportés.
2. Interrogatoire du 26 décembre 1946 à Staumühlen.

comme volontaire dans la Reischwehr et le 1er octobre 1923 j'ai été promu sous-lieutenant. En raison de mes sympathies socialistes et des renseignements que j'avais donnés aux Syndicats des travailleurs sur le Casque d'Acier, je fus arrêté le 4 décembre 1923 et condamné à quatorze ans de prison pour trahison. Je subis cette peine dans plusieurs prisons et camps de concentration. Pendant l'été de 1937, j'ai été transféré à Buchenwald où je suis resté jusqu'à la Libération. En 1938, j'étais employé à l'infirmerie comme secrétaire et en janvier 1942, j'ai été désigné comme assistant du docteur Ding.

Ainsi donc, cet opposant de toujours au national-socialisme allait devenir l'instrument des crimes de ses pires ennemis. Car en fait, l'expérimentation sur le typhus reposait sur sa tête « aussi peu scientifique que possible ». Alfred Balachowsky, chef de laboratoire à l'Institut Pasteur, déporté en 1943 et « employé » à la fabrication des vaccins typhiques du camp a brossé un portrait sans complaisance, mais objectif, de ce « presque médecin maudit » :

— Alors que la direction scientifique du block 46 était confiée au docteur Ding, l'exécution pratique tout entière des expériences reposait sur le Kapo Arthur Dietzsch. Quand il quitta le camp, il épousa une prostituée de l'établissement de Buchenwald. Dietzsch personnifie la brute au moral et au physique et il a tué de ses mains plusieurs milliers d'internés de différentes nationalités.

En octobre 1941, Ding, après une mission à l'Institut Pasteur de Paris où il étudia dans le service du docteur Giroud les nouvelles méthodes de fabrication de vaccins contre le typhus exanthémique en partant de poumons de lapins, prit la direction du block expérimental. Il demanda des volontaires pour l'aider. Personne ne se présenta. Enfin, Ding s'adressa directement à Dietzsch qui accepta. Cette nouvelle situation lui donna immédiatement des avantages considérables dans le camp. S'il n'avait pas pratiquement le droit de vie ou de mort sur les internés, il avait au moins les moyens de recruter qui il voulait comme sujet d'expérience... Brutal, stupide, cruel, sadique et ivrogne, il recevait en récompense de son abjecte activité, des avantages matériels considérables, supérieurs à ceux des SS. Il exerçait dans le camp une autorité absolue et il se permettait d'être grossier vis-à-vis des sous-officiers SS... [1].

Le Kapo s'approcha des déportés enchaînés à leur chaise :

— Voilà! Sages maintenant. On vous a bien nourri ces dernières semaines, à vous de vous montrer généreux avec ces aimables bestioles.

---

1. Le docteur François Bayle l'a rencontré dans la prison de Landsberg :

— Seuls dans les couloirs de la prison nous nous rendîmes à la grande salle de conférences du colonel où je pratiquais examens et interrogatoires. Déjà pendant le trajet Dietzsch marqua qu'il ne serait point bavard car dit-il il n'aimait pas les Français dont plusieurs l'avaient dépeint dans des livres ou des affidavits (David Rousset, docteur Balachowsky) comme un criminel. Paraissant une cinquantaine d'années, Dietzsch est enfermé depuis 1925 et il lui reste une dizaine

Il éclata de rire et tendit la première cage à un infirmier :

— Allons-y! sur les jambes et les cuisses...

Les boîtes furent placées contre les mollets, l'intérieur des cuisses et fixées par des caoutchoucs. Les infirmiers enlevèrent le couvercle-trappe et les poux typhiques affamés se précipitèrent sur la chair. Leur repas se prolongea vingt minutes.

Le début de la campagne de Russie surprit les services médicaux allemands :

« Ils [1] n'eurent pas le temps d'effectuer les opérations d'épouillage dans la région du front. Il y eut tout de suite plus de dix mille cas de typhus dont treize cents morts. Or, en décembre 1941, nous étions limités dans la production des vaccins à trente-cinq mille doses par mois. »

---

d'années (en 1949) à accomplir sur la peine qui lui fut infligée par le Tribunal Militaire Américain de Buchenwald. Il a une énorme tête en forme de toupie, des yeux bleus et un regard fixe impressionnant. Je ne pus rien en tirer, pas une ligne d'écriture, pas une empreinte, pas une mensuration. Il s'obstina à me démontrer pourquoi les Français l'avaient rebuté par leur noire ingratitude lui qui, avec cet autre bienfaiteur de l'humanité, Ding, avait sauvé trois d'entre eux d'une mort certaine en leur donnant une fausse identité.

1. Déposition du général Handloser.

La situation est tragique [1]. Des rapports venus du front annoncent que des remous agitent les troupes, des régiments refusent de marcher s'ils ne sont pas vaccinés efficacement. Et il est impossible de proté-

---

1. Le typhus exanthématique est encore appelé typhus historique parce qu'on trouve sa trace dans tous les événements importants de l'histoire. La première épidémie, dont la description n'est pas douteuse, fut signalée en 1489 au siège de Grenade où dix-sept mille hommes périrent dans les armées de Ferdinand et d'Isabelle la Catholique. Ensuite on retrouve le typhus dans les campagnes d'Italie en 1505 et 1550, en Hongrie en 1553 et, en général, dans toutes les guerres et tous les sièges chez les assiégeants comme chez les assiégés. La campagne de Napoléon en Russie connut des épidémies effroyables. A Vilna, sur trente mille prisonniers, vingt-cinq mille moururent. Pendant la retraite le typhus fit de nouveaux ravages et les soldats de la Grande Armée le rapportèrent en France.

Pendant la guerre de 14-18, les épidémies de Serbie, de Pologne, d'Autriche, de Russie et de Roumanie, ont souvent fait plus de victimes que les armes à feu.

Après une incubation silencieuse de douze jours, la maladie débute brusquement comme une grippe, par de la fièvre, des maux de tête et des courbatures généralisées. La température persiste en plateau à 40 °C tandis qu'apparaissent les deux symptômes majeurs, l'éruption le cinquième jour, et ensuite le tuphos.

L'éruption ressemble à celle de la rougeole, mais au contraire de celle-ci, respecte la face et le cou.

Le tuphos, d'un mot grec qui veut dire prostration donne au malade un aspect très caractéristique; inerte, indifférent à ce qui l'entoure, somnolent, il semble vivre un rêve profond; la surdité l'isole encore plus du monde extérieur; on arrive difficilement à obtenir une réponse, à lui faire tirer la langue hors de la bouche. Souvent, il ébauche des mouvements incertains et, vers le soir, commence à délirer; c'est un délire parfois calme, d'autres fois violent, accompagné d'hallucinations. Le typhique cherche à se lever, pourrait même se suicider, ce qui oblige à le veiller constamment.

Dans 30 % des cas environ, l'évolution se fait vers la mort qui est généralement due à la défaillance cardiaque. Dans les cas qui guérissent, la température commence à tomber progressivement à partir du quatorzième jour; le malade se réveille de sa torpeur et revient lentement à la vie. **(D'après L.C. Brumpt.)**

ger l'ensemble de l'armée. Seuls les officiers, les médecins seront traités au vaccin Weigl dont les laboratoires connaissent depuis longtemps l'efficacité... à moins qu'un autre vaccin moins onéreux soit rapidement découvert et testé. Des conférences réunissent les responsables médicaux du Reich, les directeurs de laboratoires, des industriels et enfin la conférence au sommet du 29 décembre 1941 décide l'expérimentation d'un nouveau vaccin :

— Les participants [1] sont tombés d'accord sur le besoin de tester l'efficacité du sérum typhique extrait du jaune d'œuf et la résistance de ce sérum. Les expériences animales n'ayant pas de valeur suffisante, des expériences humaines doivent être faites.

Ces professeurs, ces médecins, venaient de condamner à mort au moins trois cents déportés. Pour la première fois, semble-t-il, Himmler n'avait joué aucun rôle directeur dans la préparation et la création du « département du typhus et des virus de Buchenwald rattaché à l'Institut d'Hygiène des Waffen SS », autrement dit le block 46. Mais il était tenu au courant, approuvait et demanda même à son secrétaire « d'avertir l'Ahnenerbe de son rôle » :

---

1. Ces participants sont, d'après le journal du docteur Ding : l'Inspecteur général du Service de Santé de l'Armée, le professeur Handloser; le secrétaire d'Etat à la Santé Publique, le Gruppenführer SS docteur Conti; le président du Département de la Santé, le professeur Reiter; le directeur de l'Institut Robert Koch, le professeur Gildemeister et le Standartenführer SS professeur Mrugowsky. Conférence tenue à l'Institut d'Hygiène des Waffen SS de Berlin

— On pourrait dire aussi que le Reichsführer SS a encouragé les expériences.

Personne ne lui reprocherait ainsi, pour une fois, d'avoir pris le train en marche.

Le 5 janvier 1942, Ding injectait à ses cinq premiers cobayes une dose de un centimètre cube d'une souche de Rickettsias-Prouazecki, provenant de l'Institut Robert Koch. Jusqu'à la libération du camp, mille déportés allaient être traités.

— Il [1] y avait avec moi environ cent internés dans la salle du block 46; des Tchèques, des Polonais, des Juifs, des Allemands. On nous avait appelé par le haut-parleur. Quelques jours avant, soixante autres internés y avaient été envoyés de la même façon. Pendant trois semaines environ, nous eûmes double ration et au bout de ce temps nous fûmes infectés. Au bout d'une semaine, des crampes légères se manifestèrent, puis des nausées, des maux de tête violents et nous perdîmes l'appétit. Les douleurs devinrent si fortes qu'on avait l'impression que la tête allait éclater. Le moindre mouvement nous faisait mal.

— Les [2] personnes infectées souffraient terriblement et avaient 40 à 41° de fièvre durant trois à quatre semaines. Plus de la moitié mouraient au cours de la période fébrile. Ceux qui restaient, étaient si émaciés qu'ils semblaient être des squelettes. Après la récupération ils étaient désignés pour une colonne de travail pénible et y périssaient.

1. Témoignage du déporté Heinz Rotheigener.
2. Témoignage du déporté Victor Holbert.

— Chacun [1] savait que le block 46 était un endroit terrifiant, mais peu de gens avaient une idée exacte de ce qui s'y passait. Tous ceux qui avaient des rapports avec ce block étaient frappés d'une horreur mortelle. Les sujets sélectionnés savaient qu'il y allait de leur vie. De plus on savait généralement dans le camp que le Kapo Arthur Dietzsch exerçait au block 46 une discipline de fer. C'était vraiment le règne absolu du chat à neuf queues. Toute personne désignée pour le block s'attendait à la mort; une mort très longue et très effrayante qu'elle imaginait sans cesse ainsi que les tortures et la privation du dernier reste de liberté personnelle. C'est dans ces conditions psychologiques que les sujets attendaient leur tour, c'est-à-dire le jour ou la nuit où on leur ferait quelque chose qu'ils ignoraient mais qu'ils savaient être une forme de mort particulièrement horrible. L'infection était tellement forte (si forte dira au tribunal l'expert Leo Alexander qu'on employait un marteau-pilon pour tester un casque de football) que le typhus se développait toujours sous une forme très grave. Il survenait souvent des scènes terribles avec le Kapo Dietzsch. Les malades avaient toujours peur qu'on ne leur fasse une injection mortelle. Après un certain temps, lorsque la maladie s'était installée, les symptômes habituels du typhus apparaissaient et chacun sait que c'est une maladie effrayante. Surtout pendant les deux dernières années de l'institut, les

1. Témoignage du secrétaire déporté de Ding : Eugène Kogon.

symptômes prenaient un caractère terrible. Dans certains cas les malades déliraient, refusaient de manger et un fort pourcentage mourait. Ceux qui survivaient en raison de la robustesse de leur constitution et de l'efficacité du vaccin étaient obligés d'assister à la lutte de leurs camarades contre la mort. Ils vivaient dans une atmosphère extrêmement difficile à imaginer. Les survivants ne savaient pas ce qui leur arriverait si on ne les utiliserait pas au block 46 à d'autres fins. Ou bien n'auraient-ils pas à craindre la mort justement parce qu'ils avaient survécu et avaient été témoins de ces expériences?

Voilà pour l' « ambiance », la « couleur ». Et le travail scientifique? Les études portèrent sur l'efficacité des vaccins de différentes origines : vaccin des usines Behring préparé avec des cultures de membranes vitellines d'œufs de poule (procédé Cox, Gildemeister, Haagen) ; vaccin Durand-Giroud fabriqué à l'aide de poumons de lapin par l'Institut Pasteur de Paris, vaccin tiré des poumons de chien (Bucarest) ; vaccin provenant de foie de souris (Danemark). Il est étrange de noter que ces deux derniers vaccins furent expédiés à Buchenwald par le professeur Rose, chef de la section pour l'étude des maladies tropicales de l'Institut berlinois Robert Koch. Le professeur avait eu le courage, au cours d'un congrès médical militaire, de s'élever avec indignation contre les expériences humaines du block 46 en affirmant qu'elles étaient contraires à l'éthique et que les résultats obtenus étaient semblables à ceux fournis par l'expérimentation animale. Moins d'un an plus tard Rose changeait d'opinion (peut-être se sentait-il menacé) et expédiait ses vaccins à Ding. Le block 46, de plus, expérimenta une dizaine de thérapeutiques contre le typhus exanthématique à la demande de laboratoires militaires et aussi privés. Eugene Kogon estime que :

— L'intérêt scientifique de ces essais était nul, ou très faible, car le mode de contamination était tout simplement insensé : logiquement il fallait découvrir la valeur limite de la dose d'infection et du mode d'infection qui se rapprochent le plus de la réalité, c'est-à-dire de la transmission par le pou et qui fut cependant insuffisante pour rendre peu à peu inefficace la vaccination à laquelle on avait procédé auparavant ou, éventuellement pour exercer une action quelconque sur elle. Mais cela était trop fatigant et trop difficile pour ces messieurs. Aussi lorsque dans le premier trimestre 1943, les souches livrées par l'Institut Robert Koch perdirent toute virulence et que l'inoculation intramusculaire, sous-cutanée ou cutanée pratiquée par la scarification ou avec des lancettes ne donna plus aucun résultat, on fit tout simplement une injection intraveineuse de deux centimètres cubes de sang frais de malade, à haute virulence. Le résultat dépassa naturellement toutes les espérances, et il fut, dans la plupart des cas, catastrophique. Dès que ce mode de contamination eut été introduit, le taux de mortalité s'éleva au-dessus de cinquante pour cent, et nous passerons sous silence le cas de ceux qu'on appelait « les témoins », c'est-à-dire de ces personnes qui n'avaient pas été vaccinées au préalable, afin que l'on pût suivre sur elles la marche normale de la maladie. Ces derniers périrent presque tous. Par la suite, on réduisit la dose d'inoculation jusqu'à un dixième de centimètre cube, sans qu'elle perdit pour cela son effet mortel, car la haute virulence des souches pathogènes humaines avait encore été accrue par les « transmissions ». Dans une seule série d'expériences on put constater la réelle efficacité du vaccin contre le typhus exanthématique préparé à Buchenwald même : sur vingt personnes vaccinées préventivement, pas une seule ne mourut et l'évolution de la maladie fut beaucoup moins grave que même chez les patients vaccinés avec le meilleur vaccin, celui de Weigl, préparé avec des intestins de poux, tandis que sur les vingt « témoins », inoculés en même temps, dix-neuf périrent de cette perfide contamination.

Les médecins déportés qui travaillaient à la production du vaccin destiné aux troupes allemandes vécurent dans l'angoisse jusqu'à la libération du camp, car le produit qu'ils fabriquaient n'imunisait pas contre le typhus :

— Ding nous avait dit, à la première réunion générale que, si quelque acte de sabotage se produisait, nous serions tous collés au mur... Nous décidâmes avec les bactériologistes et le directeur de la production, Marian Ciepielowsky, de produire du vaccin léger inoffensif... Ding nous réclamait de grandes quantités de vaccin. Nous en fabriquions deux : un en grande quantité, parfaitement inefficace qui partait au front, un deuxième type en très petites quantités qui était efficace et utilisé dans des cas spéciaux, par exemple, pour nous et nos camarades qui travaillaient dans les endroits dangereux du camp. Ding n'entendit jamais parler de ces arrangements. Comme il n'avait pas de connaissances bactériologiques réelles, il ne pénétra pas le secret de la production. Il dépendait entièrement des rapports que les experts (déportés) lui donnaient. Quand il voyait trente ou quarante litres de vaccin à envoyer à Berlin, il était heureux. Cependant, il restait préoccupé par la vaccination des troupes SS et la possibilité pour ces gens de tomber malades en Russie et de mourir. L'inefficacité de notre vaccin aurait pu se révéler et des experts de l'extérieur — les SS en possédaient — auraient pu enquêter et découvrir que le véritable vaccin était à peine produit. Rien de tel ne se passa et l'aventure se poursuivit jusqu'en mars 1944.

Lorsque Mrugowsky apprit ce sabotage dans la salle du tribunal de Nuremberg, il s'adressa au président :

— Ceci représente une attitude qui n'a rien de commun avec les concepts d'humanité exprimés par ces messieurs aujourd'hui.

⁂

— Regardez ça Kogon, vous trouverez bien ce qu'il faut répondre. C'est quelque veuve qui cherche une consolation.

Ding, de plus en plus, se reposait sur Kogon. Son secrétaire déporté rédigeait avec l'aide d'autres détenus les communications médicales du médecin et ses lettres d'amour. Personnage trouble, marqué par une enfance douloureuse, il manquait surtout d'affection. Enfant naturel il prit le nom de son père adoptif et l'abandonna quelques semaines avant la libération du camp, lorsqu'il comprit que les Alliés le rechercheraient pour crimes de guerre. Il devint alors le docteur Schuler. En 1936, âgé de vingt-quatre ans, il tente de s'engager dans l'armée, mais sans succès à cause de sa naissance illégitime. Les SS, eux, l'acceptent et il sert au Service de Santé de l'Unité « Têtes de Mort »... Nous connaissons la suite.

Dans les derniers jours de Buchenwald, il change non seulement de nom mais d'attitude. Il se laisse convaincre par son secrétaire de fermer les yeux sur certaines opérations de sauvetage déclenchées par le Comité clandestin du camp. Le block qui cachait au milieu des malades contagieux des condamnés à mort bien portants fut baptisé par Ding-Schuler : Ultimum Refigium Judoerum. Dernier refuge des Juifs. Le médecin qui sentait la fin proche, brûla, aidé de Dietzsch, tous les documents compromettants. Kogon cacha dans un carton le journal de marche des expériences :

— Je dis à Ding, le jour suivant, que le journal

n'avait pas été brûlé. Il s'en montra très surpris et me demanda si je ne pensais pas que cela constituerait une arme terrible contre lui. Je lui répondis que s'il pouvait prouver devant une Cour qu'il avait sauvé ce journal, cela démontrerait amplement que ses intentions étaient honnêtes. Il accepta.

Ding capturé par les Alliés envisagea la menace que pourrait représenter pour lui un procès. Le 25 juin 1945, dans la prison de Freising, il se suicida... et se réveilla le lendemain dans un lit d'hôpital. Il a décrit sa tentative malheureuse :

— A deux heures du matin j'ai essayé de me suicider à cause de ce qui s'est passé au cours des années précédentes et du caractère insupportable de ma situation. J'ai contracté une sorte de « tension nerveuse ». Aux dernières nouvelles, les villes de Leipzig et Weimar, où je pense que se trouvent les miens, sont tombées entre les mains des Russes. Il y a peu de chance pour que je puisse contacter ma famille. Le changement survenu dans ma situation m'oblige à croire que je serai inclu dans le procès de Buchenwald et incapable de décider de mon avenir, ou tout au moins pas avant de nombreuses années. Ma femme reste seule avec deux enfants, sans recours après la perte de tous mes biens. Un troisième enfant aurait du naître au début de mai, mais l'état de ma femme m'est inconnu... J'ai utilisé, en plus d'une lame de rasoir, cinq comprimés de morphine, cinq de codeïne et onze de la préparation américaine APC. Le manque de tranchant de la lame m'a empêché de couper les tendons situés au-dessus de l'artère. Avec une incision parallèle je suis allé plus profondément et j'ai essayé de couper l'artère avec des petits ciseaux, mais j'ai été dérangé par des gens qui cherchaient les cabinets. Je me suis recouché, j'ai attaché une serviette autour de mon bras... J'ai du m'évanouir. J'ai repris connaissance dans un autre lit. J'étais pansé.

Deux mois plus tard, le médecin capitaine Ding-Schuler, réussissait son suicide.

Le docteur Wlademar Hoven avait été son suppléant au block 46. Si Ding disparaissait pour une semaine ou deux, « Bellegueule » le remplaçait. Il méritait ce surnom : toutes les femmes tombaient à ses pieds et dans ses bras. C'est d'ailleurs du lit d'une riche héritière qu'il se propulsa vers Hollywood. Ce Rudolphe Valentino aux petits pieds, play-boy gominé, dents blanches en bataille, cultiva bien plus ses admiratrices riches et âgées que ses apparitions devant la caméra. Véritable « Cocotte » il collectionnait les bijoux masculins, briquets et porte-cigarettes en or rehaussés de diamants.

« Bellegueule » poursuit ses frasques à Paris, des mauvaises langues affirment qu'il s'intéressait à l'époque aux riches héritiers... passons. Nous le retrouvons signant son engagement à la SS. Cet autodictate nourri dans le sérail passe son baccalauréat à trente-deux ans « avec beaucoup d'aide et de facilités », puis embraye sur la médecine, et accélère tant et tant que deux ans après son examen, il se retrouve adjoint au médecin-chef de tous les camps de concentration. Là, les déportés travaillèrent pour lui. Les détenus Sitte et Wegerer rédigèrent avec brio sa thèse de doctorat sur le traitement de la tuberculose pulmonaire provoquée par le poussier de charbon. « Bellegueule » apprit par cœur le texte et fut reçu avec mention à l'université de Fribourg en Brisgau. La Kommandeuse de Buchenwald ne put résister à son « charme cosmique » et Hoven admira sa collection d'estampes humaines. Le commandant l'apprit mais pour le punir se contenta de le faire pénétrer dans son club de récupération : trafic et vol d'or, de devises, de bijoux, d'alcools, de médicaments, de conserves. Ces excès les firent d'ailleurs arrêter par l' « Inspection SS des camps ». Le commandant et l'ami de la famille se retrouvèrent penauds dans la même cellule. « Bellegueule » se transforma en pomme ridée. Qu'il était loin le temps de sa splendeur humaine et médicale. Ses diplômes ne lui avaient servi qu'à liquider dans les dortoirs des infirmeries des malades dont on voulait récupérer les lits. Après chaque opération, « lorsqu'il [1] avait viré » une ou deux douzaines de détenus par des piqûres au sodium d'Evipan, il sortait nonchalant une cigarette aux doigts en sifflant joyeusement l'air : *Et de nouveau un beau jour a passé.*

1. *L'enfer organisé* : ouvrage déjà cité.

Mengele lui au moins connaissait *La Tosca.*

Les charges s'accumulèrent contre eux. Plus de dix milles pages d'acte d'accusation. Koch fut fusillé et Hoven... relâché une semaine avant la libération du camp. Le juge d'instruction allemand n'avait retenu contre lui que sa « stupidité » mais il conclut tout de même :

— Par ses connaissances et ses capacités, il mérite difficilement le titre de médecin.

Et « Bellegueule » s'évanouit dans la campagne... Deux jours plus tard, il repassa la porte barbelée encadré par deux G.I. mâchant du chewing-gum.

Face aux juges du tribunal de Nuremberg, il retrouva son assurance. Il s'était persuadé que les vingt mois de prison que l'Inspection SS lui avait imposés avant son acquittement, le blanchissaient aux yeux des Alliés. Il se présenta comme le saboteur numéro un des expériences de Ding sur le typhus.

— Un jour des prisonniers vinrent me dire qu'un envoi de poux typhiques venait d'arriver. Ding était absent. Je me rendis au block 46. Il y avait cinquante cages avec six cents poux dans chaque. Je fis obturer les cages à la cire et avec l'aide de Dietzsch, les jetai dans le fourneau. Je fis un rapport disant qu'en tant que médecin du camp, je ne pouvais prendre la responsabilité d'une épidémie. La deuxième fois, les poux furent apportés par un officier de la Wehrmacht en uniforme. Ils provenaient d'un Institut de Lemberg. Lorsque j'arrivai les cages étaient déjà attachées aux cuisses des prisonniers. Ces poux furent détruits et aucun des sujets ne présenta de typhus à ma connaissance.

— Mais, demanda le président, vous étiez bien le remplaçant de Ding?

— Bien sûr, mais je ne prenais aucune responsabilité. Quand Ding s'absentait, les expériences s'arrêtaient.

Sa justification des exécutions médicales est bien plus étrange encore.

— Il existait au camp un grand nombre de prisonniers jaloux des situations occupées par d'autres détenus. Quelques « politiques » avaient des positions clefs et vivaient mieux que les autres. Plusieurs prisonniers s'efforcèrent de discréditer ces hommes. Lorsque ceci fut connu, les « mieux placés » les firent immédiatement exécuter. J'en ai toujours été averti afin de fournir les preuves médicales de la mort. Il s'agissait d'inscrire qu'ils étaient morts naturellement. Dans quelques cas c'est moi-même qui ai tué ces hommes avec des injections de phénol mais à la demande de leurs co-détenus. Une fois Ding se trouvait à l'hôpital et déclara que je ne m'y prenais pas bien. Il pratiqua quelques injections lui-même. Trois détenus furent ainsi tués ce jour-là et ils moururent en moins d'une minute. Le nombre total des traites tués s'élève environ à cent cinquante...

A Buchenwald, vous le savez, la « Kommandeuse »

collectionnait les tatouages et certains médecins les « têtes réduites ». Un déporté, Joseph Ackermann affirma :

— Le docteur Hoven se tenait un jour à côté de moi à la fenêtre du service des autopsies. Il me montra un prisonnier qui travaillait dans la cour et me dit : « Je désire avoir le crâne de celui-ci sur mon bureau d'ici demain matin. » Le prisonnier eut l'ordre de se présenter au service de médecine. On inscrivit son numéro et le cadavre fut apporté le jour même à la salle de dissection. L'examen post mortem montra que l'homme avait été tué par une injection. Le crâne fut préparé et remis au docteur Hoven.

Le médecin s'empourpra et en bégayant répondit :

— C'est le plus grand mensonge que j'ai entendu dans ma vie. Je ne me suis jamais intéressé aux autopsies, ni aux crânes.

Wlademar Hoven, condamné à mort, fut exécuté dans la cour de la prison de Landsberg. Il respira profondément une dernière fois, ferma les yeux, baissa la tête en murmurant :

— Mon pauvre Hoven...

Le professeur Haagen eut plus de chance que Ding et Hoven. Nous allons étudier son rôle dans d'autres expériences sur le typhus pratiquées à Natzweiler; il fut condamné aux travaux forcés à perpétuité par le tribunal militaire de Metz. Les juges de Lyon transformèrent cette peine déjà considérée à l'époque « comme clémente » en vingt ans de détention. Entre temps, Haagen s'était marié en prison et déclarait à qui voulait l'entendre :

— Sans ces Français qui me tiennent enfermé, je serais Prix Nobel.

Il est vrai qu'Haagen dans le domaine scientifique, représentait une « valeur sûre » si on le compare aux autres « galopins » qui expérimentaient à Buchenwald.

— Je[1] m'appelle Eugen Haagen, je suis né le 17 juin 1898 à Berlin. Je suis docteur en médecine depuis 1924. Je suis devenu ensuite assistant de la clinique de la Charité. En 1926, je devins assistant scientifique au Service de Bactériologie du Bureau de la Santé Publique de Berlin où je fondai le département des virus et des recherches sur les tumeurs. En 1928, j'ai été nommé assistant, pendant un an, à l'Institut Rockfeller de New York. En 1929, je suis resté à Berlin et en 1930, j'ai été nommé membre de la Fondation Rockfeller à New York, avec mission de travailler au laboratoire du typhus de cet Institut. Je réussis à entretenir le germe de la fièvre jaune, à faire des cultures artificielles pures de cet agent, ce qui rendit possible un vaccin contre la fièvre jaune, utilisé aujourd'hui dans le monde entier. Après ces trois années d'interruption de mon travail à Berlin où je dirigeai le département des virus et des tu-

1. Curriculum recueilli le 17 janvier 1947 par les Américains.

meurs. En raison de l'incorporation de la Prusse au Reich, la section bactériologique fut dissoute et j'entrai à l'Institut Robert Koch où je devins chef de service et professeur le 1er mars 1936. Le 1er octobre 1941, nommé professeur de bactériologie et d'hygiène à l'université de Strasbourg, je devins en même temps directeur de l'Institut d'Hygiène. Je restai là jusqu'à la prise de Strasbourg.

Nous voyons donc que les « services passés » du professeur Haagen sont dignes d'admiration. Les agents secrets des différents camps vainqueurs qui se lancent au lendemain de la victoire à la poursuite des « cerveaux » en liberté et qui pratiquent allègrement le kidnapping, l'ont couché sur leur liste.

— C'est à Saafed sur la Saale en Thuringe où j'avais transporté une partie de mon Institut que je fus capturé en avril 1945 par les Américains. Au mois de juin, j'étais relâché. Je reçus alors l invitation du gouvernement militaire russe de diriger un institut nouvellement fondé pour les recherches sur les virus et les tumeurs. J'acceptai et je travaillai à cet Institut de Berlin jusqu'au 16 novembre 1946. Ce jour-là, à l'occasion d'une visite à Zehlendorf dans le secteur américain, je fus brusquement arrêté par un policier militaire anglais, sans mandat ni document. Je fus emmené de force et caché pendant deux mois et demi, dans la prison anglaise de Minden. Ce fut de toute évidence un cas de kidnapping. En janvier 1947 je fus remis aux autorités françaises et amené à Strasbourg.

Nous ne connaîtrons sans doute jamais les dessous de cette guerre que se livrèrent surtout Américains, Anglais et Soviétiques pour s'approprier les savants de l'ex-Reich. Les Français se réveillèrent trop tard. Par exemple, les atomistes d'Hitler avaient replié leurs piles et leurs dossiers dans une caverne, sous une église. Les Français arrivent, regardent et repartent. Deux jours plus tard, les Américains qui savent que la bombe A « aurait pu être prête dans les huit mois » déménagent matériel et personnel. Joliot-Curie ne retrouvera sur place que quelques débris de coke :

— C'était pour la pile?

— Non pour se chauffer.

Etc... Etc... Enfin les Français récupèrent Haagen. Ce qui est naturel puisqu'il a exercé sur le territoire national pendant la guerre.

Les charges s'accumulent. D'abord des lettres étonnantes découvertes à Strasbourg. Haagen venait de prendre livraison d'un convoi « expédié » d'Auschwitz :

« Le 13 décembre, on a procédé à une inspection des prisonniers en vue de déterminer leur aptitude aux expériences des vaccins typhiques. Sur les cent prisonniers choisis, dix-huit sont morts au cours du transport, douze seulement sont susceptibles d'être utilisés pour ces expériences pourvu qu'on puisse les remettre en état. Cela prendra environ deux à trois mois. Les autres sont dans un tel état qu'ils ne peuvent être utilisés à ces fins. Les expériences sont destinées à tester un vaccin nouveau; elles ne peuvent amener de résultats fructueux qu'avec des sujets normalement nourris dont la force physique est comparable à celles des soldats. Je vous demande donc de m'envoyer cent prisonniers, de vingt à quarante ans, bien portants et constitués physiquement de façon à fournir un matériel de comparaison. »

Lettre éloquente, s'il en est, sur les conditions physiques des déportés d'Auschwitz et le déroulement de leur transport. Haagen avait pourtant demandé des hommes solides! S'il désirait des déportés « normaux » il n'avait qu'à puiser dans le camp de Natzweiler. Stupide administration! L'infirmier déporté Hendrick Nales reçut Haagen pour sa première visite à la station Ahnenerbe de Natzweiler-Struthof :

— C'était fin 1943. Peu de temps après l'arrivée d'un transport de tziganes de Birkenau près d'Auschwitz, pour les expériences du typhus. Haagen examina ces gens et les fit passer aux rayons X. Il trouva qu'il ne pouvait pas les utiliser. Il protestera à Berlin en réclamant des sujets plus vigoureux... Les survivants firent partie d'un Himmelfahrtstransport...

Himmelfahrtstransport : ascension au ciel; euphémisme habituel au camp pour désigner le crématoire. Haagen réclamait des « clients » de condition physique comparable à celle des membres des forces armées; qu'à cela ne tienne, la Wehrmacht et la SS devaient bien avoir des combattants tziganes dans leur rang. Aussitôt dit, aussitôt...

— Environ [1] quatre-vingt-dix nouveaux sujets arrivèrent. Ils furent examinés et trouvés convenables. Le professeur Haagen les divisa en deux groupes. Ceux du premier reçurent une vaccination contre le typhus. Les seconds rien. Je pense que dix à quatorze jours plus tard, tous les sujets furent infectés artificiellement avec le typhus. Je ne puis vous dire comment, je ne suis pas médecin, mais j'étais là quand ils le firent. Au cours de cette affaire, trente tziganes moururent. J'en ai la preuve. J'ai conservé les fiches des morts de Natzweiler.

L'assistante et la secrétaire de Haagen se plaignirent au docteur Graefe, l'adjoint de Haagen :

— Mais c'est un crime d'expérimenter sur des hommes!

— Tenez-vous tranquilles. Ce sont des Polonais, ce ne sont pas des hommes.

Georges Hirtz, docteur ès sciences naturelles et pharmacien assista sans doute, le 20 mai 1943 à la toute première expérience du professeur.

— Vers le 20 mai 1943, un transport de vingt à vingt-trois Polonais arriva. Ils furent enfermés dans une baraque qu'ils durent laver avec une solution de lysol.

Plusieurs jours se passent. Haagen arrive et vaccine le personnel médical, le chef de camp et son adjoint à l'aide des ampoules habituelles de l'Institut Robert Koch puis :

---

1. Témoignage du déporté infirmier de l'Ahnenerbe, Hendrick Nales.

— Les Polonais reçurent dans le pectoral une injection d'un liquide gris-jaune, que les médecins avaient apporté avec eux. Ils n'avaient pas été examinés et toutes les injections furent faites avec la même aiguille sans désinfection, d'une personne à l'autre. Les Polonais furent renvoyés à leur baraque. J'étais seul à pouvoir y entrer pour apporter leur nourriture et prendre leur température.

Question du tribunal : Ce liquide gris-jaune était-il un virus virulent du typhus ou une injection de vaccin?

— Je ne puis pas le dire. Mais deux faits montrent que le vaccin était virulent. Ceux qui prenaient soin d'eux avaient été vaccinés et d'autre part, les Polonais, à leur arrivée, avaient dû laver leur block avec une solution de lysol; c'était pour tuer les mouches, les puces et les punaises. Je devais prendre leur température trois fois par jour. Après trente-six à quarante-huit heures environ, celle-ci commença à monter jusqu'à 40° et même plus haut. Les deuxième et troisième jour, je trouvai déjà deux cadavres dans leurs couchettes. La fièvre dura pendant six à huit jours et à la fin de cette période, des signes d'excitation de choc, de peur et d'autres symptômes apparurent. A ce moment, je ne pus suivre les expériences car je fus envoyé en compagnie disciplinaire.

— Question : Avez-vous vu les cadavres des deux Polonais?

Réponse : C'est moi qui ai mis les corps dans des

sacs en papier. Ils ont été brûlés au crématoire de Natzweiler.

Voici donc les pièces principales de l'accusation contre le professeur Eugen Haagen. Comment va-t-il se justifier?

⁂

Très simplement : en niant l'évidence. Les expériences! Quelles expériences? Il s'agissait de vaccinations car le camp de Shirmeck et Natzweiler étaient menacés d'une épidémie de typhus. Bon! Avouez tout de même que c'est un paradoxe : vacciner vingt personnes pour lutter contre une épidémie. J'avais très peu de vaccin! Bon! L'épidémie se déclare et vous disparaissez. Illogique? J'avais à ce moment-là des obligations militaires à remplir. Bon! Et ces convois d'Auschwitz? Je n'ai rien demandé. Bon! Et les morts? Quels morts? Il n'y a jamais eu de morts. Bon! Croyez-vous qu'il était nécessaire de demander à Himmler l'autorisation de vacciner dans un camp? Le professeur Hirt ne voulait pas que les non-SS pénètrent dans le camp. Bon! Et la station Ahnenerbe? Je n'ai jamais levé la tête pour voir ce qu'il y avait marqué au-dessus de la porte. Bon! Mlle Edith Schmitt, votre assistante a déclaré que vous aviez vacciné cent cinquante personnes à Natzweiler et que cinquante personnes du groupe de contrôle étaient mortes ? Elle se trompe, elle confond avec la période de l'épidémie. Bon! Le témoin Hirtz a parlé de deux morts qu'il a lui-même enveloppés dans des sacs en papier et que trouvons-nous sur le livre de contrôle de l'assistante technique à la date du 6 juillet, l'époque dont parle le témoin? Nous trouvons cette petite phrase « deux autres ne sont plus là »? Alors? Alors! Je n'en sais rien. Cela veut dire que les prisonniers avaient dû partir. Il n'y eut pas de morts. Bon! Vous ne pouvez nier docteur la présence au camp de cobayes, véritables réservoirs de virus; n'étaient-ils pas là pour faciliter l'infection des déportés? Il s'agissait de gentils et sains cochons d'Inde que nous apportions aux prisonniers. Ils avaient grand plaisir à les élever. Bon! Bon! Bon!

D'après ce « raccourci » des mille pages de confession d'Eugen Haagen, je vous laisse le soin de conclure. J'ajouterai simplement ceci : Haagen poursuivit ses recherches en dehors du cours habituel des expérimentations humaines dans les camps de concentration. Personne ne lui avait demandé de tester sa découverte d'un nouveau « virus-vaccin vivant ». Il a succombé à la tentation de ce camp de déportés si proche de ses laboratoires strasbourgeois. Ce camp où le secret serait bien gardé. Pourquoi pas? Mais son « virus-vaccin vivant » était sans doute insuffisamment atténué. Toujours le fameux marteau-pilon pour tester un casque de football.

Les Services de Santé allemands s'adressèrent bien souvent à différents instituts dans le monde pour obtenir du vaccin. Ils envoyèrent même des « agents secrets » en Amérique du Sud et aux Etats-Unis pour « acheter » des grandes quantités de sérums. A Paris, l'Institut Pasteur refusa toute collaboration. Ce n'était pas toujours facile. Le docteur Tefouël, directeur de l'Institut, devint en fait le pharmacien en chef de la Résistance et des maquis :

— Pharmacie reconnue par les autorités françaises de Londres puisque dès 1942, les produits militaires indispensables ont été parachutés sur notre sol, dirigés sur Pasteur où ils étaient « conditionnés », et de là redistribués sur des hôpitaux de province où ils étaient stockés clandestinement à la disposition des maquisards.

Naturellement, les produits étaient soigneusement démarqués par les expéditeurs. Le dagénan, par exemple, portait des étiquettes « Rhône-Poulenc » parfaitement imitées. Un jour pourtant, de l'insuline arriva avec ses étiquettes américaines « Eli-Lily and Co » et une date qui ne laissait aucun doute. En hâte, on gratta les dangereuses étiquettes pour leur en substituer de plus anodines.

Les produits étaient parachutés dans les « containers » classiques : cylindres d'environ 1,20 m sur 60 cm.

— L'iode, l'huile camphrée, la morphine, la caféine arrivaient en grosses quantités, le merchurochrome par flacons de dix kilos, les sulfamides par cinquante kilos ! A qui s'étonnait par hasard de ces proportions, on répondait que c'était pour les chevaux : « Un cheval n'est pas une souris! »

La présence des instruments, des trousses, du coton, des bandes plâtrées, pouvait aussi ne pas passer inaperçue, malgré l'étendue de nos sous-sols, véritable ligne Maginot! On ne pouvait pas trop élargir le cercle des confidents. Alors la défense passive avait bon dos. En cas d'un gros bombardement de Paris, fallait-il n'est-ce pas, compter sur les Allemands pour organiser les secours?

Au contraire, c'étaient les officiers du service de santé allemand qui venaient souvent à l'Institut Pasteur solliciter des produits. Solliciter d'abord, supplier même, souvent menacer. Ils manquaient, par exemple, de sérum antitétanique. Ils en arrachèrent péniblement quelques ampoules, alors qu'il en partait des centaines de mille pour le maquis...

Un jour, ils demandent du sérum antidiphtérique. M. Tréfouël explique qu'il en a très peu, tout juste pour la population française. Ils insistent.

— Vous êtes en contact avec la population. Si une épidémie se déclare vous serez les premiers en danger.

— On est reçu aimablement, constate le chef de la délégation, mais on part toujours les mains vides!

L'un des trois officiers, un Autrichien, prend par derrière la main du docteur Tréfouël et lui dit à voix basse : « Continuez. »

— Ça m'a fait plaisir. Je l'ai revu quelquefois, mais il n'a plus jamais osé un pareil geste.

Un autre jour, en 1943, l'affaire s'annonçait mal. Pour avoir du sérum, les Allemands avaient obtenu un ordre du ministère français de la Santé Publique.

— Obéissez ou nous prenons l'Institut Pasteur.

— Je veux bien vous en faire mais je n'ai pas de chevaux.

— Nous allons vous en donner.

— Vous savez que la mortalité est très grande...

— Vous aurez ce qu'il faudra, mais les cadavres seront la propriété de l'armée allemande.

Alors le docteur Noël Bernard, sous-directeur de l'Institut Pasteur, intervient pour demander :

— Est-ce qu'il faudra vous les conserver dans l'alcool?

Les Allemands ne purent s'empêcher de rire. Ils accordèrent cent neuf chevaux qui furent dirigés sur le laboratoire de Garche. Mais tous, comme par hasard, moururent successivement. En six mois, ils étaient liquidés.

Et ce fut encore le docteur Tréfouël qui se fâcha! Il prétendit que les chevaux étaient impropres à l'immunisation, que désormais il n'accepterait que des bêtes choisies par ses vétérinaires.

Là-dessus, les Allemands signalent qu'ils ont soixante chevaux. Les vétérinaires envoyés sur place en retiennent cinq. M. Tréfouël proteste qu'on les dérange pour rien... Et ainsi de suite.

La direction de l'Institut Pasteur profita de l'incident pour se plaindre du manque de personnel. Non seulement elle sut éviter les réquisitions, mais elle fit même revenir des prisonniers, à commencer par le jardinier.

On voulut lui prendre le concierge. Elle soutint qu'il était irremplaçable. Lui seul connaissait tous les employés. Si un inconnu (un « terroriste » peut-être!) venait dérober une souche contagieuse... Les occupants eux-mêmes avaient intérêt à ce que l'Institut Pasteur fût bien gardé!

Le docteur Nitti, le premier en France, « fabrique » de la pénicilline.

— Nitti disposait de deux souches. Il en obtint une par un coup de chance, en exposant à l'air une boîte de Pétri. Souche médiocre qui permit de commencer l'étude, mais ne pouvait conduire à des résultats pratiques. L'autre fut retrouvée dans nos collections et se révéla active. Celle-ci fut sauvée par celle-là.

Les Allemands avaient eu vent de la chose. Ils réclamèrent leur part. Nitti répondit qu'il n'avait pas eu de résultats intéressants, qu'il avait laissé périr la souche.

Un mois après, nouvel assaut. Ils savaient que la souche existait encore. Ils l'exigeaient : c'était un ordre. « Bien leur dit Nitti, je vais essayer de la faire démarrer. » Il leur prépara un repiquage de la souche stérile. Ils en furent ravis, saluèrent jusqu'à terre. « Ils en ont bien pour trois mois », me dit Nitti.

Pendant ce temps, les travaux continuaient en secret sur la bonne souche. Un peu avant la Libération, on put obtenir quelque peu de pénicilline.

Au cours de l'occupation de l'Allemagne, des souches de Penicillium notatum ont été retrouvées dans quelques laboratoires. Essayées, elles étaient toutes stériles. Il serait amusant de penser qu'elles provenaient de l'Institut Pasteur de Paris!

XVII

LE DOYEN DES MÉDECINS MAUDITS

— Mais voyons, il travaille sur le paludisme depuis plus de quarante ans, vous n'allez pas imaginer qu'il va trouver la solution à plus de soixante-dix ans. De toute manière une vaccination protectrice est impossible.

Le professeur Rose condamnait les travaux de son prédécesseur à la direction des maladies tropicales de l'Institut Robert Koch. Le secrétariat d'Himmler classa la lettre dans le dossier des « sans réponse ».

Le « vieux » saurait montrer de quoi il était capable à Dachau; justement parce qu'il cherchait depuis plus de quarante ans, il trouverait.

— Je[1] m'appelle Klaus Schilling, je suis né le

1. Interrogatoire du 7 mai 1945 à Dachau par le capitaine de l'Armée américaine : Clayn L. Walker.

24 juillet 1871. J'ai dirigé le département des maladies tropicales à l'Institut Robert Koch depuis 1905. J'ai pris ma retraite en 1936. C'est le ministre de la Santé publique du Troisième Reich, le docteur Conti qui me rappela à l'activité et me fit comparaître devant Himmler en 1941 ou janvier 1942. A ce moment je venais d'Italie où j'avais entrepris des recherches sur un vaccin contre le paludisme et il me demanda de continuer ces recherches à Dachau... Il n'était pas possible de refuser d'exécuter l'ordre de Himmler. Je commençai mes expériences sur les prisonniers du camp en février 1942 et je continuai jusqu'au 13 mars 1945... Je pense avoir expérimenté sur neuf cents à mille sujets... si j'avais refusé j'aurais peut-être été envoyé moi aussi dans un camp de concentration. J'essayais de découvrir une méthode qui aurait sauvé des millions d'hommes.

Un seul Allemand s'opposa par la suite aux travaux du « grand-père tranquille » de Dachau, l'inspecteur des camps de concentration :

— Schilling demandait constamment des prisonniers. Je protestai contre la fourniture de ces hommes car cela les empêchait de travailler.

Cette réclamation provoqua une intervention personnelle d'Himmler qui ordonna de « donner » des prisonniers à Schilling. Il devait en recevoir plus de mille. D'après le jugement du procès de Dachau, où Schilling fut condamné à mort, ces expériences entraînèrent la mort « directement de trente personnes » et « indirectement » de trois ou quatre cents.

*
**

Parmi les cobayes, de nombreux ecclésiastiques :

— Il [1] y avait plus de mille prêtres catholiques à Dachau à mon arrivée. J'ai été soumis trois fois à des morsures de moustiques du paludisme [2] et une

1. Témoignage du prêtre polonais, Marion Dabrowsky.

2. Comme pour le typhus, les assistants attachaient des cages aux jambes des cobayes ou bien on les « persuadait » de poser leur main sur la boîte qui contenait les moustiques. La « malaria » baptisée ainsi autrefois (mauvais air) car l'on songeait qu'elle provenait des eaux stagnantes des marais, conserva ce nom lorsqu'un médecin français Charles Laveran (ses travaux lui valurent le prix Nobel en 1907) découvrit en 1880 qu'elle était due à des parasites du sang humain. Peu avant 1900, le médecin militaire anglais Ronald Ross décela, aux Indes, le parasite dans l'estomac des moustiques, et le cycle de croissance commença d'être connu.

C'est la femelle du moustique Anopheles qui répand le paludisme. Pour se procurer le sang qui lui servira à nourrir ses œufs, elle s'attaque à l'homme. Si elle pique un paludéen, les parasites mâles et femelles contenus dans le sang qu'elle a aspiré s'unissent dans son estomac, se multiplient et vont se loger au bout d'une douzaine de jours dans ses glandes salivaires. La voici maintenant porteuse de mort.

Sa prochaine piqûre va transmettre à un autre être humain ces hématozoaires, qui se multiplient alors rapidement. Au bout de douze jours en général, le sang du nouveau malade grouille de parasites, et le terrible accès palustre éclate : de violents frissons surviennent vite suivis d'une montée de fièvre à plus de 40°. Après l'état de prostration initial, des sueurs profuses se manifestent jusqu'au retour des accès. Les parasites du paludisme meurent d'eux-mêmes au bout de trois ans dans l'organisme humain, à moins de réinfestations successives par de nouvelles piqûres. La mortalité annuelle atteint à peu près 1 % des 250 millions de paludéens que compte l'humanité. Mais c'est surtout son caractère débilitant qui rend le fléau si redoutable. Pendant des semaines et des mois, en général, les malades sont trop affaiblis pour travailler. Dans les zones très infestées, comme les plaines du Mexique, l'Amérique centrale, certaines régions du Brésil et de l'Inde, près de la moitié des travailleurs restent inactifs pendant une bonne partie de l'année.

fois on m'a injecté du sang de paludéen. Cent prêtres furent contraints de subir ces expériences. Je protestai seulement à la fin de l'année 1943, car avant cette date, élever la voix aurait signifié ma condamnation à mort. Je présentai bientôt tous les signes de la maladie ainsi que mon frère, lui aussi prêtre. Le professeur Schilling nous traitait comme des chiens. Lorsque je m'insurgeai enfin, il m'arrêta :

— Dans ce camp, on parle allemand.

J'avais essayé de m'adresser à lui en français car je savais qu'il comprenait cette langue. J'enchaînais en allemand, il me coupa la parole :

— Vous n'avez pas le droit de vous plaindre, je vous signalerai au commandant du camp, et vous savez ce qui en résultera pour vous.

Fernandus Antonius Tijhuis, carmélite néerlandais assista à un sabotage de l'expérience. Malheureusement cette altération des résultats devait confirmer Schilling dans son erreur :

— Nous souffrions d'une façon insupportable. Au bout de quinze jours, l'un d'entre nous présenta une température élevée. Plus tard la mienne atteignit 40 à 41° et mon pouls 150 pulsations à la minute. Malgré six couvertures je frissonnais et transpirais terriblement. La fièvre revint tous les trois jours. Je devais avaler jusqu'à deux cents comprimés par jour, une invention du docteur Schilling. Je souffrais de maux de tête effroyables. Je ne pouvais plus dormir, même quand ma température tombait. Les Polonais de ma chambre qui avaient aussi été infectés avec le paludisme écrivirent chez eux. On leur envoya en secret de la quinine. Ils la prirent à l'insu des médecins. La fièvre tomba et Schilling conclut à l'efficacité de son traitement. J'entendis dire plus tard qu'en raison des excellents résultats qu'il croyait avoir obtenus avec sa drogue, il la fit breveter et l'envoya aux troupes en Afrique où paraît-il elle provoqua de nombreux décès.

De la longue cohorte des témoignages et des dépositions qui accusèrent Schilling, retenons en conclusion les observations d'un déporté. Etudiant en médecine luxembourgeois, Eugène Ost devint secrétaire à la station Malaria :

— L'idée dominante des travaux de Schilling était la création dans le corps humain d'une immunité suffisante pour le rendre inattaquable par le plasmodium vivax [1], le seul employé à Dachau. Il conduisit deux grands groupes d'expériences. Dans la première série, il désirait démontrer l'existence d'anticorps spécifiques dans le sérum des malades; dans la seconde, obtenir l'immunité.

Peut-être Schilling était-il simplement fou... Ne déclara-t-il pas à ses juges :

1. Le professeur tirait cet « agent » de trois souches : une Russe d'Ilmensee, une provenant de Crête, la dernière de Madagascar.

— Nous avons eu près de cent pour cent de guérisons.

Avant son exécution, il réclama vainement :

— Laissez-moi en vie quelques semaines encore. Je trouverai, je trouverai, je trouverai, je suis si près du but.

XVIII

LES ENFANTS DE NEUENGAMME

Des dizaines, sûrement des centaines d'autres expériences se déroulèrent dans les camps de concentration. Ceux qui auraient pu témoigner ont été sacrifiés avant la Libération. Si l'on sait par exemple qu'Himmler ordonna des recherches sur l'Ictère infectieux et offrit au docteur Dohmen « huit Juifs polonais » pour débuter... Il est impossible de prouver que d'autres recherches furent entreprises dans ce domaine et en particulier par Haagen à Natzweiler. A Buchenwald, des vaccins contre la fièvre jaune furent essayés... Des archives en partie détruites mentionnent également des « essais » sur la grippe, les typhoïdes, la variole, le choléra, la tuberculose...

Sans doute d'autres souffrances, d'autres morts.

Schilling ne reconnut-il pas avoir essayé ses « mixtures » sur des paralytiques d'un asile d'aliénés avant de prendre le chemin de Dachau? Alors dans le secret de ces hospices, avant les opérations d'euthanasie, combien de « médecins maudits » ont-ils opéré? Je voudrais prendre un dernier exemple « mystérieux ». Pour le résoudre, j'ai fait appel à tous les médecins et infirmiers survivants du camp de Neuengamme. J'ai reçu une vingtaine de réponses. Les faits d'abord :

— « Section spéciale [1] ». C'était une baraque de bois semblable aux autres, située à côté de l'infirmerie. Les détenus ignoraient absolument ce qui s'y passait. Moi-même, avant de rentrer au laboratoire, je n'avais jamais prêté plus d'attention à cette baraque qu'à ses voisines. Or, chaque matin, un infirmier hollandais apportait dix échantillons d'urine à analyser et chaque semaine, vingt prises de sang passaient également au laboratoire. Intrigué, j'y fus conduit par le professeur Florence, malgré l'isolement absolu qui pesait sur ce service, isolement qui devait être maintenu par les consignes les plus sévères. Et voici ce que je vis.

Il y avait là une vingtaine d'enfants, garçons et filles, de nationalités différentes mais tous de race juive, âgés de quatre à quatorze ans. On les laissait libres de jouer toute la journée, mais ils ne sortaient jamais, sauf dans la petite cour qui se trouvait devant

1. Henri Joannon : *Remember* : Imprimerie Moderne Aurillac. Texte confirmé par lettre en mars 1967.

leur porte. Il était défendu de leur apprendre à lire, à écrire. Mais par contre, ils étaient logés très convenablement et fort bien nourris. Ceci de façon qu'on ne puisse pas imputer un affaiblissement à de mauvaises conditions d'existence. Car ces enfants qu'on mesurait, qu'on pesait régulièrement pour lesquels le laboratoire travaillait chaque jour, ces enfants servaient de cobayes. Ce qu'on leur faisait, je n'en sais rien. Je n'avais pas à le savoir. Et au surplus, je n'aurais pas accepté de participer à n'importe quoi. Mais ce que je sais c'est qu'à intervalles réguliers, un professeur du nom de Esmayer, venait de Berlin. Les enfants étaient alors examinés par lui. Certains subissaient des prélèvements chirurgicaux que le professeur emmenait à Berlin aux fins d'analyse. Ce que je sais aussi, c'est que le professeur Florence m'a dit avoir senti au paroxysme la haine qu'il portait à l'Allemagne lorsqu'il avait vu insuffler des bacilles tuberculeux dans les poumons de certaines fillettes, ou encore au spectacle de garçonnets auxquels on avait fait avaler des doses massives de médicaments sulfamidés pour en étudier les effets à loisir. »

Tous les autres déportés que j'ai interrogés n'ont pu m'en dire plus. Bien sûr j'ai appris que certains enfants « portaient en permanence des tubages qui sortaient du nez et de la bouche », que les deux médecins français Florence et Quenouille, chargés de surveiller le block sabotaient les expériences en « tuant les bacilles avant de les injecter ». J'ai appris également que « furent essayés » des vaccins antidiphtériques et qu'une expérience à grande échelle fut montée pour « tester l'eau empoisonnée par des gaz ou des maladies »; mais, qui ordonna ces recherches? Qui les conduisait? Rien!

Florence et Quenouille gardèrent le secret pour ne pas compromettre les chances de survie des enfants; à quelques jours de la Libération, tous les « cobayes » furent massacrés... Florence, Quenouille et leurs infirmiers néerlandais furent retrouvés pendus à des crocs de boucher.

XIX

DES ENVELOPPES HUMAINES VIDES

Hitler fit asseoir Conti et Lammers [1] :

— Cette fois je suis décidé. J'envisage d'interrompre l'existence des aliénés gravement atteints. Je ne peux envisager que des êtres humains qui mangent leurs excréments, continuent à vivre sans s'en rendre compte. De plus leur disparition nous rendra des hôpitaux, des médecins, du personnel infirmier. Conti?

Le docteur Conti déclara qu'il approuvait du point de vue médical l'extermination de ces « inaptes à l'existence » et qu'il examinerait la question en détail. Hitler se tourna vers Lammers.

---

1. Réunion décrite par le ministre d'Etat Lammers, chef de la Chancellerie du Reich.

— Vous allez me préparer une loi?

— D'innombrables problèmes de politique intérieure, extérieure, religieuse et éthique vont surgir...

— Examinez, examinez; faites-moi un rapport et préparez un projet de loi.

Nous étions à la fin de l'été 1939.

Dans cette conversation Hitler a repris à son compte des phrases prononcées par le docteur Wagner en 1934 au cours d'un congrès du parti national-socialiste. Hitler depuis 1923 (*Mein Kampf*) songeait à l'euthanasie, cette conférence sut le persuader :

— Le [1] fardeau économique constitué par les personnes souffrant de maladies héréditaires, constitue un danger pour l'Etat et pour la société. En tout il est nécessaire de dépenser trois cent un millions de Reichsmarks pour les soins à leur donner non compris les dépenses de deux cent mille ivrognes et d'environ quatre cent mille psychopathes. Nous sommes convaincus que bientôt, chaque pays se rendra compte que sa force se trouve dans la pureté de son esprit et de son sang. La seule garantie d'une vie tranquille se trouve dans la différenciation entre sang et sang. Nous considérons dépourvu de sens que des aliénés dangereux pour leur existence et pour celle des autres, des idiots qui ne peuvent se tenir propres ni manger

1. Cité par le docteur Kurt Blome.

eux-mêmes, soient élevés et maintenus en vie, au prix de grands efforts et de grandes dépenses; dans la libre nature, ces créatures ne pourraient exister et seraient exterminées selon la loi divine.

Hitler rencontra le docteur Wagner, alors ministre de la Santé Publique, et tous deux, au mois de janvier 1935, préparèrent les bases de l'euthanasie « légale ». Deux mois avant le début de la guerre, Hitler reçut une lettre troublante :

— Un père[1] demandait la mort pour son enfant difforme, aveugle et idiot auquel il manquait une jambe et une partie d'un bras. Hitler me confia l'affaire, me dit de me rendre à Leipzig immédiatement et de dire au médecin qui s'occupait de l'enfant qu'il permettait d'effectuer l'euthanasie, ce que je fis.

Ce premier cas « suivi pas à pas » par Hitler déclenche l'opération. Le Führer dicte le décret qui impose l'euthanasie :

— Le Reichsleiter Bouhler et le docteur en médecine Brandt sont, sous leur responsabilité, chargés d'étendre l'autorité de certains médecins. Ces médecins devront accorder la délivrance, par la mort aux personnes qui, dans les limites du jugement humain, et à la suite d'un examen médical approfondi, auront été déclarées incurables.

Le décret fut antidaté. Il porta la date du 1er septembre 1939, jour de l'invasion de la Pologne :

— Ainsi dit-il, ce sera un décret de guerre et le

1. Déposition de Karl Brandt, le 4 février 1947.

problème sera résolu plus facilement... l'opposition de l'Eglise ne jouera pas.

*
* *

Ludwig Lehner préparait une licence de psychologie. Il désirait visiter un asile d'aliénés, il écrivit au directeur d'Eglfing Haar :

— Pendant [1] la visite, le directeur Pfannmueller me conduisit dans une salle propre et bien entretenue où se trouvaient une vingtaine d'enfants de un à cinq ans. Pfannmueller m'exposa ses vues en détail :

— Ces créatures ne représentent, bien entendu pour moi, national-socialiste, qu'un fardeau sur le corps sain de notre pays. Nous ne nous en débarrassons pas au moyen de poison ou d'injections car cela fournirait à la presse étrangère et à un certain nombre de personnes en Suisse, matière à propagande haineuse. Non, notre méthode est beaucoup plus simple et plus naturelle comme vous pouvez le voir.

A ces mots il tira, avec l'aide de l'infirmière, un enfant de son lit. Pendant qu'il le brandissait comme s'il s'agissait d'un lièvre tué, il dit :

— Cela prendra encore deux ou trois jours.

Je me rappelle nettement cet homme grimaçant et gras, tenant entre ses grosses mains ce petit squelette respirant au milieu d'autres enfants mourant de faim. Il précisa encore :

1. Témoignage recueilli à Saint-Wolfgand, le 30 mars 1947.

— On ne supprime pas brusquement la nourriture mais on diminue graduellement les rations.

Pfannmueller, directeur de l'asile, s'occupait lui-même de ce service des enfants. Le chef en titre, le docteur Hölzl avait « déserté » comme beaucoup de médecins qui refusèrent, avec courage, d'appliquer le décret d'euthanasie :

— Il [1] me répugne de m'appliquer à cette pratique systématique, après une froide délibération et d'après les principes scientifiques objectifs, alors que l'opération ne comporte pas vis-à-vis du malade de pensées de nature médicale. Ce qui m'a amené à travailler au service des enfants, n'a pas été seulement l'intérêt scientifique, mais dans notre labeur souvent stérile le besoin du médecin d'aider et au moins d'améliorer. Je me sens lié sentimentalement aux enfants, comme à leur sauvegarde médicale et je pense que ce contact sentimental n'est pas nécessairement une faiblesse du point de vue d'un médecin national-socialiste.

Malheur au docteur Hölzl et à ses « frères-fillettes » qui s'indignèrent... Le front ou un camp de concentration tempérèrent leurs ardeurs humanitaires.

« Les enveloppes humaines vides [2] » représentaient, en 1939, près de cinq cent mille personnes. Les incurables à « soulager » trente pour cent. Les

1. Lettre du docteur Hölzl à son directeur Pfannmueller.
2. Ainsi les appelait le professeur Heyde, l'un des responsables du programme. Il s'est suicidé en 1964 à Limbourg avant l'ouverture de son procès.

médecins se surpassèrent. En moins d'un mois tous les asiles, hospices, hôpitaux, reçurent un formulaire. Pour chaque cas, plus de cinquante questions, dont la plupart n'avaient que de lointains rapports avec la médecine : le ministère de l'Intérieur se souciait surtout de savoir si les malades avaient de la famille, qui venait les voir et quand? Les fiches collationnées étaient transmises aux différents experts. Parmi eux notre bon docteur Hermann Pfannmueller qui « tuait par la faim » les enfants confiés à ses soins.

— Ce n'est pas vrai, je ne me souviens de rien, déclara-t-il au cours de ses interrogatoires.

— Docteur, vous étiez expert; du 12 novembre au 1er décembre 1940, les documents que nous possédons indiquent que vous avez expertisé deux mille cinquante-huit questionnaires. En travaillant dix heures par jour, vous n'auriez consacré que cinq minutes à chaque dossier et en fait vous ne vous penchiez sur ces fiches qu'à vos moments de loisir.

— Je ne comprends rien à vos mathématiques.

— Vous souvenez-vous de la lettre du docteur Hölzl qui refusa de pratiquer l'euthanasie?

— Non [1]!

Les experts « expédiaient le plus rapidement possible » leur travail. Une fois leur décision prise, elle

1. Le docteur Pfannmueller était très malade pendant la période des procès. Il fut en définitive condamné à six ans de détention. Un journal allemand conclut par cette phrase : son état de santé inspira à ses juges la pitié qu'il refusa toujours à ses malades.

était considérée sans appel possible. Le ministère de l'Intérieur, pour camoufler l'opération, avait créé trois organisations chargées de l'extermination [1]. Mais pour arrêter les indiscrétions, il fallait absolument changer les aliénés d'asiles. Rien de plus simple, la corporation du transport envoyait ses autobus dans les hospices. Les malades étaient transférés dans deux, parfois trois hôpitaux de triage et enfin dirigés sur le centre d'euthanasie choisi dans la région. Comment expliquer aux parents, aux amis ces transferts?

— Les obligations de la guerre! Les risques de bombardements.

Comment surtout avouer la disparition, la mort d'un aliéné à sa famille? Dans chaque centre d'extermination un comité de médecins était en place pour « inventer » les causes de décès plausibles.

Quinze jours après le début de l'action, les asiles, les bureaux de police, les ministères, la moindre sacristie d'église ou de cathédrale, recevaient des dizaines et des dizaines de plaintes, de demandes d'explication. Il n'y a qu'aujourd'hui, plus de vingt-cinq ans après, que le monde est persuadé que l'Allemagne d'Hitler ignorait les camps de déportation et les opérations d'assainissement de la race.

— La [2] mort inattendue de mes deux sœurs dans l'espace de deux jours me paraît très peu probable...

---

1. Association charitable des soins, corporation des transports de malades, service communautaire du travail.

2. Lettre de Mme Maria Kehr à l'établissement pour malades mentaux de Sonnenstein.

Personne ne peut me convaincre qu'il s'agit d'une coïncidence.

— J'ai [1] un fils atteint de schizophrénie. Depuis quelques semaines, les malades de l'esprit sont enlevés des établissements où ils se trouvent, soi-disant en raison d'une évacuation militaire... Peu après les parents apprennent que leur malade est mort d'encéphalite. On peut obtenir les cendres si on le désire. Il s'agit là de meurtres, exactement comme dans les camps de concentration...

— J'ai reçu deux urnes pour un seul mort!

— Un avis de décès m'indique que mon fils est mort de l'appendicite. L'appendicite lui avait été enlevée il y a dix ans.

— J'ai reçu avant-hier une lettre m'annonçant la mort de ma fille... Je suis allée aussitôt à l'asile. Elle est en parfaite santé.

Partout en Allemagne l'indignation laisse place à la colère. L'évêque de Limburg écrit au ministère de l'Intérieur :

— A huit kilomètres environ de Limburg il y a dans la petite ville de Hadamar... un établissement où l'on pratique systématiquement l'euthanasie depuis des mois. Plusieurs fois par semaine, un autocar amène un nombre important de victimes à Hadamar. Les enfants de l'école connaissent bien le véhicule et disent : « Tiens voilà la bagnole des macchabés. » Quand ils s'insultent ils se lancent à la tête : « T'es fou, on t'enverra rôtir dans les fours de Hadamar. »

1. Lettre anonyme reçue par le ministère de la Justice.

Ceux qui ne veulent pas se marier répondent : « Nous marier, jamais! Mettre des enfants au monde pour qu'ils finissent dans la chaudière! » Les vieillards vous disent : « Ne nous envoyez pas dans un hôpital. Quand ils en auront fini avec les simples d'esprit, les premières bouches inutiles à liquider, ce sera nous, les vieux... »

Le pasteur Braune exige des explications :

— Au cours des derniers mois on a observé, dans plusieurs parties du Reich, le transfert d'un grand nombre de malades d'asiles pour des raisons d'économie dirigée; puis les parents reçoivent l'avis de la mort... L'éthique de tout un pays ne sera-t-elle pas mise en danger si la vie humaine vaut si peu? Les autorités compétentes sont priées d'arrêter ces mesures désastreuses...

L'archevêque de Munich, le cardinal Faulhaber :

— Que peuvent croire ces hommes de la science médicale qui ont choisi cette profession remarquable, vouée à la sauvegarde et au maintien des vies malades et qui détournent la profession médicale de son véritable sens pour aboutir à l'extermination des malades? Il est encore plus difficile de croire que l'administration de la justice abandonne aux médecins le droit de condamner à mort.

Des amis d'Himmler, des hauts personnages du parti eux aussi s'interrogent :

— Les [1] gens s'accrochent encore à l'espoir que le

1. Lettre de Else Von Loewis fille d'un ancien ministre de la Justice. Himmler répondra personnellement.

Führer ne connaît pas ces choses. Je suis convaincue que nous payerons chèrement cette atteinte aux sentiments. Sans le sentiment du droit et de la justice, un peuple s'égare inévitablement. Il doit y avoir un moyen de faire parvenir la voix du peuple allemand aux oreilles de son Führer.

Enfin, les directeurs d'asiles, les responsables administratifs de l'opération, les fonctionnaires écrivent :

— Nous courons à la catastrophe, à la Révolution...

Le coup de grâce est donné en chaire par Monseigneur Von Galen évêque de Munster, son prêche fut par la suite diffusé dans tous les diocèses, la moindre église :

— Ces malheureux malades doivent donc mourir parce qu'ils sont devenus indignes de vivre d'après le jugement de quelque médecin ou l'expertise de quelque commission et parce que d'après cette expertise, ils appartiennent à la catégorie des citoyens « improductifs ».

Qui donc pourrait dès lors avoir encore confiance dans le médecin? Comment ne pas imaginer le déchaînement féroce des mœurs, la méfiance de chacun envers tous qui s'étendra jusque dans les familles, lorsque cette idéologie terrifiante sera admise, et exécutée. Malheur aux hommes, malheur au peuple allemand si on transgresse impunément le commandement de Dieu : « Tu ne dois pas tuer. » Cet ordre que le Seigneur a jeté du mont Sinaï dans le tonnerre et les éclairs et que Dieu votre créateur inscrivit à l'origine dans la conscience des hommes.

Monseigneur Graf Von Galen fut arrêté, mais le peuple se souleva. Sa libération apaisa les esprits. Pour la première fois en Allemagne « l'Aigle baissait la tête »... Hitler ordonna d'arrêter l'euthanasie sur tout le territoire. Deux cent soixante quinze mille personnes avaient été « assassinées [1] ». Normalement les juristes, les administrateurs, les médecins auraient dû être jugés car le code pénal en vigueur condamnait :

— La destruction des vies sans valeur, cas mentaux sérieux et cas d'idiotie totale.

Plusieurs dizaines de procès nous ont familiarisés avec la pensée et la dialectique des adeptes du crime médical :

— C'était un ordre.

— Nous soulagions... La délivrance par la mort est un acte de charité.

Je sais qu'aujourd'hui [2] de nombreuses personnes, en leur âme et conscience, sont favorables à l'euthanasie « dans des circonstances très particulières ». Les Cours d'Assises ont rendu des sentences indulgentes ces dernières années (en particulier procès de la Thalidomide à Liège). Mais n'oublions pas que le programme allemand frappait n'importe qui : curables et incurables, enfants attardés et vieillards, anciens combattants, tous les malades juifs, tous les malades étrangers. Un seul expert « expédiait » les

---

1. Jugement du Tribunal Militaire International. L'euthanasie des enfants se poursuivit (page 16 916).

2. Voir la condamnation de l'euthanasie par l'Académie des sciences morales et politiques de France, Annexe IV.

dossiers. Les familles des « retenus » n'étaient jamais prévenues, ni les médecins traitants. N'oublions pas non plus que les médecins des camps se retranchant derrière le décret d'Hitler « vidaient » les infirmeries et « sélectionnaient » sur les rampes d'accès aux places d'appel.

Un médecin français, le docteur Poitrot, fut chargé à la fin de la guerre d'enquêter sur ce sujet. Voici la conclusion du rapport qu'il adressa à la direction de la Santé Publique de la zone française d'occupation [1].

— Il faut voir dans cette réalisation l'aboutissement logique de la doctrine national-socialiste qui, par une démonstration cruciale, illustre ici même sa nature et ses tendances. Les observateurs les moins suspects : le Clergé et certains psychiatres allemands, ont eu l'impression que ces mesures ne constituaient qu'un prélude à de plus vastes entreprises d'extermination auxquelles il eut été donné d'assister avec la victoire totale du régime. En fait, il semblait bien que la pratique massive du meurtre scientifique dont la technique était mise au point et poursuivie par des expériences corollaires dans les camps de concentration, fut assurée de la plus large extension dans l'avenir et prit la valeur d'une institution d'état.

1. Destinée de l'Assistance psychiatrique en Allemagne du Sud-Ouest pendant le régime national socialiste. Imprimerie nationale Tübingen 1949.

XX

AUJOURD'HUI

Il est inutile de conclure longuement après cette lecture du dossier accablant de l'expérimentation humaine dans les camps de concentration : les faits suffisent et ont suffi à condamner les Médecins Maudits.

Il est généralement admis que toutes ces expériences sur les détenus n'ont apporté aucune découverte. Rascher, le plus démoniaque des bourreaux en blouse blanche, a mis au point une ceinture de sauvetage dont les principes ont été reconnus par plusieurs armées et par l'ensemble des compagnies aériennes; c'est un piètre résultat si l'on considère l'étendue des recherches entreprises et le nombre considérable de cobayes et de victimes.

Aujourd'hui dans le monde, des dizaines de chercheurs « rêvent » de « travailler sur le vivant », les résultats de l'expérimentation animale étant bien souvent limités. Ces savants rencontrent dans les pénitenciers des volontaires « conditionnés ». Mais peut-on être pleinement volontaire en prison?

Bien sûr, ces « essais sur le vivant » n'ont rien de comparable aux atrocités nazies; aujourd'hui on respecte les Dix Règles de Nuremberg. Mais...

Aujourd'hui dans le monde, il existe plus de dix mille associations pour lutter contre les expérimentations animales, mais pas une seule, pas une seule pour réclamer l'interdiction des expérimentations humaines.

Paris, août 1967.

ANNEXES

Annexe 1

SERMENT D'HIPPOCRATE

— Je jure par Apollon, médecin, par Esculape, par Hygie et Panacée, par tous les dieux et déesses et les prends à témoin que j'accomplirai, selon toutes mes forces et mes capacités, ce serment tel qu'il est écrit.

— Je regarderai comme mon père celui qui m'a enseigné la médecine et je partagerai avec lui tout ce dont il aura besoin pour vivre. Je regarderai ses enfants comme mes frères.

— Je prescrirai aux malades le régime qui leur convient avec autant de savoir et de jugement que je pourrai, et je m'abstiendrai, à leur égard de toute intervention malfaisante ou inutile.

— Je ne conseillerai jamais à personne d'avoir recours au poison et j'en refuserai à ceux qui m'en demanderont. Je ne donnerai à aucune femme des remèdes abortifs.

— Je conserverai ma vie pure et saine aussi bien que mon art.

— Je ne pratiquerai pas d'opérations dont je n'aurai pas l'habitude, mais je les laisserai à ceux qui s'en occupent spécialement.

— Lorsque j'irai visiter un malade je ne penserai qu'à lui être utile, me préservant bien de tout méfait volontaire et de toute corruption avec les hommes et les femmes.

— Tout ce que je verrai ou entendrai dans la société pendant l'exercice ou même hors de l'exercice de ma profession, et qui ne devra pas être divulgué, je le tiendrai secret, le regardant comme une chose sacrée.

— Si je garde ce serment sans l'enfreindre en quoi que ce soit, qu'il me soit accordé de jouir heureusement de la vie de mon art, et d'être honoré à jamais parmi les hommes. Si j'y manque et me parjure, qu'il m'arrive tout le contraire.

Tiré de Gardeil I. Œuvres d'Hippocrate, deux volumes, Delahaye. Littre IV — Œuvres complètes, 10 volumes Baillère. Bayle : *Croix Gammée contre Caducée,* ouvrage déjà cité. (Hippocrate est né en 460 av. J.C. dans l'île de Cos en Asie Mineure.)

Annexe II

Les dix commandements du soldat allemand
(Imprimés dans chaque livret militaire)

1) En combattant pour la victoire le soldat allemand observera les règles de la guerre chevaleresque. Les cruautés et les destructions inconsidérées sont indignes de lui.

2) Les combattants seront en uniforme et porteront des insignes spécialement établis et faciles à distinguer. Il est interdit de combattre en civil et sans insigne.

3) Aucun ennemi, y compris les partisans et les espions ne sera tué après qu'il se sera rendu. Les tribunaux auront à connaître, dans les formes, de leur cas.

4) Les prisonniers de guerre ne seront ni maltraités, ni insultés. S'il faut leur prendre leurs armes, cartes et papiers, il ne faut en revanche pas toucher à leurs objets personnels.

5) Les balles dum-dum sont interdites. Il est éga-

lement interdit de transformer des balles ordinaires en dum-dum.

6) Les institutions de la Croix-Rouge sont sacrées. Les ennemis blessés doivent être traités avec humanité. Il ne faut pas gêner les membres du corps médicale ni les aumôniers de l'armée dans l'exercice de leur profession ou de leur ministère.

7) La population civile est sacrée. Le soldat ne peut se livrer au pillage, ni faire de destructions inutiles. Il doit respecter en particulier les ouvrages ayant une valeur historique, ou les édifices utilisés à des fins religieuses, artistiques, scientifiques ou charitables. On ne peut demander à la population des livraisons en nature ou des services que sur ordre des supérieurs et seulement contre rémunération.

8) Les avions ne doivent jamais pénétrer dans un territoire neutre, le survoler ou le mitrailler; il ne peut être le théâtre d'aucune opération de guerre quelle qu'elle soit.

9) Si un soldat allemand est fait prisonnier, il donnera son nom, et son grade, si on le lui demande. En aucun cas il ne révélera l'unité à laquelle il appartient et ne fournira de renseignements sur la situation militaire, politique et économique de l'Allemagne. Il ne le fera ni sous la promesse ni sous la menace.

10) Les infractions aux règles mentionnées ci-dessus seront punies. Les crimes perpétrés par l'ennemi contre les principes énoncés sous 1 et 8 seront signalés. Des représailles ne peuvent être exercées que sur ordre des chefs suprêmes.

Annexe III

Règles de Nuremberg sur l'expérimentation humaine

1) Le consentement volontaire du sujet qui sert aux expériences est absolument essentiel. Cela veut dire que la personne intéressée doit jouir de sa capacité légale totale pour consentir : qu'elle doit être laissée libre de décider, à l'exclusion de toute intervention étrangère telle que la force, la fraude, la contrainte, la supercherie, la duperie ou d'autres procédés de contrainte ou de coercition. Il faut aussi que la personne utilisée soit suffisamment renseignée et connaisse toute la portée de l'expérience pratiquée sur elle, afin d'être capable de mesurer l'effet de sa décision. Avant que le sujet accepte, il faut donc le renseigner exactement sur la nature, la durée et le

---

Jugement prononcé les 19 et 20 août 1947 à Nuremberg. Les dix principes énoncés ne sont pas admis par l'ensemble du corps médical (voir le chapitre « Pourquoi » au début de ce livre) certains trouvent ces règles trop « libérales » et d'autres trop « restrictives ».

but de l'expérience ainsi que sur les méthodes et moyens employés, les dangers et les risques encourus, et les conséquences pour sa participation à cette expérience. L'obligation et la responsabilité d'apprécier les conditions dans lesquelles le sujet donne son consentement incombent à la personne qui prend l'initiative et la direction de ces expériences ou qui y travaille. Cette obligation et cette responsabilité s'attachent à cette personne qui ne peut les transmettre à nulle autre, sans être poursuivie.

2) L'expérience doit avoir des résultats pratiques pour l'humanité, impossibles à obtenir par d'autres moyens; elle doit être pratiquée avec une méthode définie, et être imposée par la nécessité.

3) Les fondements de l'expérience doivent résider dans les résultats d'expériences antérieures faites sur des animaux, et dans la connaissance de la genèse de la maladie ou des questions à l'étude, de façon à justifier par les résultats attendus, l'exécution de l'expérience.

4) L'expérience doit être pratiquée de façon à éviter toute souffrance et toute dommage physique ou mental, non nécessaires.

5) L'expérience ne doit pas être tentée lorsqu'il y a une raison *a priori* de croire qu'elle entraînera la mort ou l'invalidité du sujet, à l'exception des cas où les médecins qui font les recherches, servent eux-mêmes de sujets à l'expérience.

6) Les risques encourus ne devront jamais excéder la valeur positive pour l'humanité, du problème que doit résoudre l'expérience envisagée.

7) On doit faire en sorte d'écarter du sujet qui sert

à l'expérience toute éventualité, si mince soit-elle, susceptible de provoquer des blessures, l'invalidité ou la mort.

8) Les expériences ne doivent être pratiquées que par des personnes qualifiées. La plus grande aptitude et une extrême attention sont exigées tout au long de l'expérience, de tous ceux qui la dirigent ou qui y participent.

9) Le sujet doit être libre de faire interrompre l'expérience, s'il estime avoir atteint le seuil de résistance, mentale ou physique, au-delà duquel il ne peut aller.

10) L'homme de science chargé de l'expérience doit être prêt à l'interrompre à tout moment, s'il a une raison de croire que sa continuation pourrait entraîner des blessures, l'invalidité ou la mort pour le sujet.

Des innombrables preuves fournies ici (au cours des débats du procès des médecins), il se dégage que ces dix principes furent plus souvent violés que respectés. Un grand nombre des détenus des camps de concentration victimes de ces atrocités, étaient citoyens de pays autres que le Reich allemand. C'était des nationaux non allemands, des Juifs et des personnes « associales », prisonniers de guerre et civils, qui avaient été emprisonnés et contraints de subir ces tortures et cette barbarie, sans même un semblant de procès.

A chaque instant, il apparaît dans le procès-verbal que les sujets utilisés n'avaient pas donné leur consentement.

Pour certaines expériences, les accusés eux-mêmes reconnurent que les sujets ne furent pas volontaires.

En aucun cas, le sujet d'expérience n'eut la liberté de faire cesser l'expérience. Dans de nombreux cas, les expériences furent pratiquées par des personnes non qualifiées ou furent faites sans méthode et sans raison scientifique définie et dans des conditions effroyables, et seulement très peu — si même il y en eut — des précautions furent prises pour éviter aux sujets des blessures, l'invalidité ou la mort.

Au cours de toutes ces expériences, les sujets endurèrent des souffrances extrêmes, furent torturés, et dans la plupart des cas, ils furent blessés ou mutilés; beaucoup moururent directement des expériences ou indirectement du manque de soins nécessaires.

De toute évidence, des expériences furent pratiquées avec le plus grand mépris des conventions internationales, des lois et coutumes de la guerre, et des principes généraux du Droit criminel de toutes les nations civilisées et de la loi numéro 10 du Conseil de Contrôle. Ces expériences furent réalisées dans des conditions contraires aux principes juridiques des nations, tels qu'ils résultent chez les peuples civilisés, des usages établis du droit des gens et des commandements de la conscience publique.

Annexe IV

Condamnation de l'euthanasie par l'Académie des Sciences morales et politiques de France

— Paris, 14 novembre 1949, l'Académie :

1) Rejette formellement toutes les méthodes ayant pour dessein de provoquer la mort de sujets estimés monstrueux, mal formés, déficients ou incurables, parce que, entre autres raisons, toute doctrine médicale ou sociale qui ne respecte pas de façon systématique les principes mêmes de la vie, aboutit fatalement, comme le prouvent des expériences récentes à des abus criminels et même au sacrifice d'individus qui, malgré leurs infirmités physiques, peuvent comme le montre l'histoire, contribuer magnifiquement à l'édification permanente de notre civilisation.

2) Considère que l'euthanasie et d'une façon générale toutes les méthodes qui ont pour effet de provoquer par compassion, chez les moribonds une mort « douce et tranquille » doivent également être écartées. Il est assurément du devoir du médecin d'atté-

nuer dans toute la mesure de ses possibilités techniques les angoisses et les affres de l'agonie quand elles existent. Dans ces circonstances, la crainte de voir la mort intervenir au cours de ses soins ne doit pas inhiber ses initiatives thérapeutiques mais il ne peut cependant considérer comme licite le fait de la provoquer délibérément.

Cette opinion catégorique repose, entre autres raisons, sur le fait que l'incurabilité de ces sujets ne peut être toujours établie médicalement avec une certitude absolue et que même dans l'hypothèse où cette incurabilité serait certaine, la mise en œuvre de telles méthodes aurait pour effet d'octroyer au médecin une sorte de souveraineté contraire à son rôle réel qui est de guérir, contraire à ses traditions professionnelles, à l'ordre public et aux principes mêmes d'une morale millénaire qui reconnaît l'espérance pour un de ses fondements.

3) Considère que, dans ces conditions, l'état actuel de la législation française ne semble pas, sur ce point, devoir être modifiée.

BIBLIOGRAPHIE

J'ai contacté, pour ce livre, toutes les associations françaises d'anciens déportés ou résistants. Par ce canal, j'ai pu retrouver une centaine de « cobayes survivants » et recueillir une trentaine de témoignages. Il faut comprendre le drame vécu par ces hommes et ces femmes. Beaucoup ne veulent plus en entendre parler, les femmes stérilisées surtout :

— Monsieur. Oui j'ai été stérilisée. Depuis ce jour horrible, je me réveille chaque nuit en pleurant. Je vous en prie, ne m'écrivez pas. Laissez-moi avec ma peine et mes souffrances. Je vous en prie... (Lettre reçue en mars 1967).

Que tous ceux qui ont accepté de me recevoir ou de me répondre, trouvent ici mes remerciements sincères. Ce livre leur doit tout.

En rencontrant des médecins français qui avaient « travaillé sous les ordres » des expérimentateurs allemands, j'ai pu découvrir des faits inconnus jusqu'à ce jour et prendre contact avec des déportés belges, luxembourgeois, néerlandais et allemands qui avaient subi des expériences.

L'ambassade de la République populaire de Pologne m'a fourni de précieuses indications sur les « petits lapins de Ravensbrück ». Le Comité d'Histoire de la Deuxième Guerre Mondiale et le Centre de Documentation Juive m'ont ouvert leurs archives.

Marie-Madeleine Fourcade pour le camp de Natzweiler-Struthof m'a communiqué ses notes, ses enquêtes.

Mme Aubry pour Neuengamme a contacté tous les médecins, les infirmiers du camp.

Il m'est impossible de remercier tous ceux (plus de trois cents personnes) qui m'ont apporté leur témoignage ou des éclaircissements sur des points précis. Je dois signaler qu'une seule association d'anciens déportés a refusé de m'aider dans ce travail (malgré deux visites à son siège, cinq lettres et certainement une dizaine d'appels téléphoniques).

En dehors de trois livres essentiels sur ce sujet : Croix Gammée contre Caducée du docteur François Bayle; Doctors of Infamy de Mitscherlich et l'Enfer Organisé, d'Eugen Kongon (tous ces livres ont paru au lendemain de la Libération), il n'existe pas d'ouvrage traitant l'ensemble du problème à la lumière des derniers procès et d'interviews de survivants. Je dois beaucoup au livre du docteur François Bayle, son travail sur le procès des Médecins à Nuremberg ne sera jamais égalé.

En dehors des témoignages recueillis, des archives consultées et des livres ou articles médicaux cités dans cette bibliographie, j'ai eu accès aux collections de la Voix de la Résistance, de la Voix du Maquis, de l'Echo de la Résistance, de l'Agent de liaison et du Patriote Résistant. Le Monde, le Figaro, et les dépêches de l'A.F.P. sur les derniers procès sont une source importante d'informations.

Enfin, le docteur Marc Dworzecki a accepté au cours de plusieurs entretiens de me guider dans ce « labyrinthe encore mystérieux en 1967 ».

ALEXANDER, commandant Léo. Neuropathologie dans l'Allemagne en guerre. Publication du Gouvernement américain.

ALEXANDER. La structure socio-psychologique du SS. Rapport psychiatrique des Procès de Nuremberg pour crimes de guerre (archives of Neurology and Psychiatry, 5 mai 1948).

BARUK, professeur Henry. La psychopathologie expérimentale. P.U.F.

BAUM B. Widerstand in Auschwitz. Berlin 1957.

BAYLE, docteur François. Croix Gammée contre Caducée, imprimerie Nationale. Neustadt - Palatinat 1951 - Psychologie et Ethique du national-socialisme. P.U.F. Paris 1953.

BENASSY J. Deux nouveaux cas d'atrocités scientifiques allemandes. Masculinisation expérimentale. (Les Echos de la Médecine n° 17, 1er septembre 1945.)

BESNARD. Cinq observations de gynécomastie chez les déportés (Thèse de Paris, 23 mai 1946).

Bibliographie zur Zeitgeschichte und zum 2, Weltkrieg pour les années 1945-1950 éditée à Munich par l'Institut d'Histoire Contemporaine 1955.

Bibliographie zur Zeitgeschichte. 1951 et années suivantes, en annexe aux cahiers trimestriels Vierteljahrshefte für Zeitgeschichte, Stuttgart, Deutsche Verlagsanstalt 1955 et années suivantes.

Bilig. L'Allemagne et le génocide. Paris 1950.

Bonnette. Une légion d'intoxiqués par l'héroïne rapatriés d'Allemagne. (Les Echos de la Médecine, n° 19, 1er octobre 1945.)

Boulard Michel de. Mauthausen. Revue d'Histoire de la Deuxième Guerre Mondiale, juillet-septembre 1954.

Breuillard. Service médical dans un camp de déportés. (Thèse de médecine de Paris, 20 mars 1946.)

Bucheim Hans. Die SS in der Verfassung des Dritten Reiches, Vierteljahreshefte für Zeitgeschichte. 3 jahrgang 1955.

Cahen J. Chirurgie expérimentale dans un camp allemand. Présentation de trois cas. Acta chirurgica Belgica, n° 1 de janvier 1946.

Calic Edouard. Himmler et son empire. Stock. Paris 1966.

Champy Christian. Expérimentation sur l'Homme. Le médecin français, n° 41 du 25 mai 1945.

Champy C. Risler. Sur une série de préparations histologiques trouvées dans le laboratoire d'un professeur allemand. Expériences faites sur l'homme au camp de Struthof (bulletin de l'Académie de Médecine, n° 16, 17, 18, séance du 1er mai 1945; in Presse Médicale n° 20 du 19 mai 1945. Les Echos de la Médecine n° 9 du 1er mai 1945).

Chaumerliac J. Recherches hématologiques au camp

de Dachau. (Gazette Médicale de France n° 22, novembre 1946.)

CHRÉTIEN Henri. Extermination « scientifique ». Le Médecin Français n° 41, 25 mai 1945.

COURRIER et POUMEAU-DELILLE. Présentation d'un jeune déporté castré dans le camp d'Auschwitz en 1943. (Académie de Médecine, 19 juin 1945. T 129, n° 22, 23, 24; in La Presse Médicale n° 26 du 30 juin 1945.)

CULLUMBINE H. Expériences chimiques de guerre sur des sujets humains (British Medical Journal, 4476 du 19 octobre 1946, in La semaine des Hôpitaux de Paris, n° 19 du 21 mai 1947).

DEBRISE Gilbert. Les grands cimetières sans tombeaux (bibliothèque française).

DESOILLE H. Les médecins nazis (Le Médecin Français n° 24 du 25 décembre 1946).

DESOILLE H. Assassinat systématique (La Presse Médicale, 13 octobre 1945, Typhus exanthématique à Buchenwald, 19 mai 1945).

DIAMANT BERGER. Malade ayant subi des expériences chirurgicales en Allemagne (Bull. et Mem. de la Société des Chirurgiens de Paris T. XXXVII n° 12, 1947).

DWORZECKI Marc. L'Europe sans enfants. Ouvrage en hébreu publié à Tel-Aviv.

Expériences faites sur l'homme au camp de Struthof. Le concours médical n° 36 et 37, 10 septembre 1945.

FRANQUEVILLE Robert. Rien à signaler (Attinger).

FREJAFON. Bergen Belsen - Bagne sanatorium.

FUNCK-BRENTANO P. La stérilisation féminine au

camp d'Auschwitz. Les Echos de la Médecine n° 15, 1er août 1946). Mémoires de l'Académie de chirurgie, séance du 20 mars 1946. Le Médecin Français n° 17-18, 10-25 septembre 1946. Le Médecin Allemand (Le Médecin Français, juin 1946).

German Crimes in Polland (Crimes allemands en Pologne) édité par la Commission Centrale d'Enquête pour les crimes allemands en Pologne, Varsovie 1947.

HALDER, général Franz. Hitler als Feldherr, traduction française : Hitler seigneur de la guerre, Payot, Paris 1950.

HEIDEN Conrad. Histoire du national-socialisme allemand. Stock Paris.

HELLUY. Typhus exanthématique (revue Médecine. Nancy. Août-septembre 1946 et 1947).

HENDRICKW Christine, DUCHAINE, PARISEL F., LECLERCQ. Prélèvement forcé d'une greffe osseuse à des prisonniers d'un camp de concentration allemand (Bruxelles Médical, n° 20, 28 octobre 1945).

HENOCQUE (Abbé). Dans les antres de la bête (Durassié).

HITLER Adolphe. Mein Kampf. Publication du N.S.D.A.P. Munich 1934. La traduction française intégrale et la plus exacte est celle publiée en 1939 par la « Librairie Critique » Paris.

HOESS Rudolf. Kommandant in Auschwitz. Stuttgart 1961. Traduction française publiée chez Julliard.

I.M.T. Tribunal International de Nuremberg. 42 volumes en éditions allemande, anglaise et française.

INBONA Jean-Marie. Le procès des médecins allemands ; leur responsabilité dans la technique du génocide (La Presse Médicale n° 21, 12 avril 1947).

Institut Historique Juif de Varsovie. Faschimus, ghetto, Massenmord, Berlin 1960.

IVY A.C., Crimes de guerre nazis de nature médicale (the journal of the American Medical Association. Janvier 1949).

JASPERS Karl. La culpabilité allemande. Edition de Minuit, 1948.

JOANNON Henri. Remember. Imprimerie Moderne, Aurillac 1947.

JUILLIARD Emile. Atrocités nazies.

KOGON Eugen. Der SS staat und das system der deutschen Konzentrations-lager. Traduction française : l'Enfer organisé. La jeune parque, Paris 1947.

KRAUSNIC, HELMUT et BUCHHEIM, HANS, BROSZAT, MARTIN, JACOBSEN, HANS Adolf. Anatomie des SS staates, Band 1 und 2 Freiburg 1965.

KUEHNRICH, HEINZ. Der KZ staat. Berlin 1960.

LACROIX P. Les opérations du professeur Clauberg au camp d'Auschwitz (stérilisations féminines). (Le Concours Médical n° 42, 19 octobre 1946.)

Le système concentrationnaire nazi. Publication de l'U.N.A.D.I.F., Imprimerie Alençonnaise, 1965.

LEWINSKA Blagia. Vingt mois à Auschwitz (Nagel).

LOHEAC Paul. Un médecin français en déportation (Bonne Presse) Paris 1949.

MAU H. et KRAUSNICK H. Le national-socialisme. Casterman, Editions originales, Cologne 1956.

MAUREL Micheline. Un camp très ordinaire (Editions de Minuit).

MITSCHERLICH A. MIELKE. Doctors of Infamy. New York, Heidelberg 1949.

Numéro spécial consacré au Martyrologue de la Médecine Française. Atrocités allemandes devant le corps médical. (Gazette médicale de France, n° 19, octobre 1946.)

NYISZLI, MIKLOS. SS. Obersturmführer, Docteur Mengele 1953. (Traduction française « Médecin à Auschwitz », Julliard.)

ODIC Ch. La colline froide (Buchenwald). (Le Médecin Français.)

POITROT A. Docteur. Destinée de l'assistance psychiatrique en Allemagne du Sud-Ouest pendant le régime national-socialiste. Imprimerie Nationale. Tubingen 1949.

POLIAKOV L. et WULF J. Le IIIe Reich et les Juifs. Gallimard 1959.

POLIAKOV Léon. Auschwitz. Julliard, Paris 1964.

POLONIA PUBLISHING HOUSE. Poland under nazi occupation, Warshau 1961.

We have not forgotten, Warshau 1961.

RAVINA A. Le procès des médecins allemands à Nuremberg. Son influence sur la législation médicale internationale du temps de guerre. (Union Fédérative des Médecins de Réserve n° 2, avril 1948.)

« La fin du procès des médecins allemands criminels

de guerre (La Presse Médicale n° 61, 18 octobre 1947).

RICHET Charles et MANS A. La pathologie des déportés F.I.L.D.I.R. (juillet-août 1954). Publié également par le ministère des Anciens combattants et victimes de guerre.

RICHET Charles. La médecine au bagne de Buchenwald (janvier 1944-avril 1945) Médecine et Hygiène n° 64, 15 décembre 1945.

Notes sur le typhus exanthématique observé à Buchenwald (Bulletin et Mém. de la Société Médicale des Hôpitaux de Paris, n° 15, 16, 1945 séance du 4 mai 1945 et la Presse Médicale, n° 20, 19 mai 1945.

La médecine aux camps de Buchenwald, Ravensbrück et Dora (La Presse Médicale n° 28, 14 juillet 1945).

RIGAUD Marcel, J.E. - Etudes gynécologiques des deux rescapées des camps allemands. (Le Xe congrès français de gynécologie, Lyon, 27-29 mai 1946, in. La Presse Médicale n° 39, 24 août 1946).

ROUSSET David. L'Univers concentrationnaire. Paris, 1946.

(Lord) RUSSEL OF LIVERPOOL. Sous le signe de la croix gammée. Les Amis du Livre-Genève. The Scourge of the Swastika. London 1954.

SAINT-CLAIR Simone. Ravensbrück, l'enfer des femmes (Tallandier).

SANIN V.I. Dans le camp de Sachsenhausen. Moscou, 1961.

SILLEVAERTS C. Expériences faites aux hautes altitudes, au camp de concentration de Dachau.

(C.R. du second procès de Nuremberg, in Bruxelles Médical n° 1, 5 janvier 1947). Le second procès de Nuremberg (Bruxelles Médical 1946 et 1947).

SPITZ Aimé. Struthof, bagne nazi en Alsace.

Témoignages sur Auschwitz (F.N.D.I.R.P.).

Témoignage strasbourgeois : de l'université aux camps de concentration (Editions Belles-Lettres).

TORAUBAYLE W. Les méthodes empiriques et scientifiques de réanimation et les expériences des médecins criminels de guerre nazis (VIe Congrès de l'Association Française pour l'avancement des sciences, 18-23 septembre, in. La Presse Médicale n° 10, 14 février 1948.

WAITZ R. Les Instituts de Médecine Expérimentale SS dans les camps de concentration en Allemagne (Le Progrès Médical n° 9-10, 10-24 mai 1945).

Le centre d'expérimentation humaine sur le typhus exanthématique au camp de Buchenwald (Société Médicale des Hôpitaux, 11 mai 1945, in La Presse Médicale n° 21, 26 mai 1945).

WAITZ R. et CIEPIELOWSKI M. Le typhus expérimental au camp de Buchenwald (La Presse Médicale n° 23, 18 mai 1946).

WIESENTHAL, docteur Simon. Les assassins sont parmi nous. Mac Graw Hill. Londres, avril 1967.

WORMSER Olga, MICHEL Henri, Tragédie de la déportation (Hachette).

WULF Joseph : Heinrich Himmler, Berlin 1960.
Bormann - Gütersloh 1962.

ZYWULSKA Christine. J'ai survécu à Auschwitz (Amicale d'Auschwitz, 10, rue Leroux, Paris).

TABLE DES MATIERES

ANNEXES

Achevé d'imprimer
en octobre mil neuf cent soixante-dix-neuf
sur les presses de l'Imprimerie Gagné Ltée
Louiseville - Montréal.
Imprimé au Canada